Paris
avril 1998

MARQUES ET SIGNATURES
DE LA
PORCELAINE FRANÇAISE

Chez le même éditeur :

Marques et signatures de la Faïence Française
par Henri Curtil.

MARQUES
ET SIGNATURES
DE LA
PORCELAINE FRANÇAISE

par

GENEVIÈVE LE DUC et HENRI CURTIL

PARIS

ÉDITIONS CHARLES MASSIN

ISBN 2-7072-0038-7.

INTRODUCTION

Aborder le chapitre de la porcelaine, c'est ouvrir la porte du plus célèbre magasin de friandises et de préciosités artistiques. Dieu nous garde d'y jouer les éléphants.

Alors que la faïence a quelque chose de rustique, de rassurant, qui en fait un élément du règne masculin, la porcelaine, quant à elle, est du domaine de la féminité. Elle appartient à l'univers de la grâce, de l'élégance, de la délicatesse, de la fragilité, à l'univers de la séduction. Casser une cruche ou un pichet est de la maladresse. Mais briser une porcelaine est plus qu'un crime, c'est un sacrilège. Tenir dans le creux de sa main un Sèvres ou une statuette de Mennecy, léger comme un oiseau, fragile comme une fleur, palpitant de tous ses coloris, c'est tenir en miniature toute la féminité du monde.

Est-il étonnant que la porcelaine nous soit venue des horizons lointains et fascinants de l'Orient?

C'est, en effet, de Chine, du Japon que les grands navigateurs – Marco-Polo en 1295, Vasco de Gama en 1499 – rapportèrent en Europe les premiers objets de porcelaine. Ces petites merveilles auréolées de mystère, dévoilant des formes et des coloris inconnus, provoquèrent un immense enthousiasme. Dans leurs somptueuses demeures, les Médicis en Italie, Charles Quint en Espagne, François Ier puis Henri II en France offrirent la place d'honneur à ces frêles chefs-d'œuvre rapportés d'un autre monde par les caravelles.

Aussitôt, les Compagnies des Indes firent exécuter par les artisans chinois des services frappés aux armes des princes, des rois et des empereurs d'Occident. Emmanuel de Portugal importe des Mings décorés de son sceau. Les rois de France commandent à profusion des ensembles ornés de leurs armoiries. Les formes en sont souvent occidentalisées, mais les décors demeurent orientaux. Autant de pièces prestigieuses qui suscitent partout l'admiration, engendrent la convoitise, provoquent l'émulation.

Pourquoi ne fabriquerait-on pas en Europe de ces précieuses porcelaines? Aussi bien, un père jésuite a rapporté de Chine des échantillons de kaolin et de pétunsé, et l'on cherche à se procurer la précieuse argile blanche.

Entre-temps a été entreprise la fabrication d'une pâte artificielle que nos chimistes céramistes s'appliqueront à mettre au point.

Et c'est ainsi que s'ouvre, en France et en Europe, le règne de la porcelaine.

Dans l'ouvrage que voici, nous étudierons successivement les porcelaines à pâte tendre, puis la porcelaine dure.

Un même souci nous guidera à travers l'un et l'autre chapitre : apprendre au lecteur à reconnaître et à apprécier les pièces de qualité, détourner de son attention les pièces de mauvais goût.

Nos manufactures produisent en abondance des œuvres fort diverses. Nombre d'entre elles peuvent prêter à discussion. Bon nombre d'autres, toutefois, méritent notre intérêt et notre admiration.

De leur côté, nos musées, dont les collections rassemblent des spécimens de tous genres, ont su mettre en valeur la diversité des fabrications, des styles, des techniques et jusqu'aux caprices de l'imagination qui ont inspiré fabricants et décorateurs selon les époques.

Jointe à l'étude des descriptions et des analyses que présentent les ouvrages d'auteurs spécialisés, la visite réfléchie de ces musées contribuera à fortifier les connaissances, à affermir le goût, à satisfaire la curiosité du connaisseur et, finalement, à lui offrir cette haute satisfaction, cette euphorie suprême que procure la découverte et la contemplation du beau.

PÂTES TENDRES

Privés de kaolin, nos chimistes sont à la recherche d'une pâte artificielle permettant d'obtenir et de façonner une porcelaine approchant des porcelaines d'Orient. De nombreuses formules sont essayées avec plus ou moins de succès. Les compositions de ces mélanges sont des plus complexes. Étudions par exemple la formule de Vincennes. Elle consistait à faire fondre un mélange de salpètre et de soufre auquel on ajoutait du sable de Fontainebleau, du sel marin, de la soude d'Alicante, de l'alun de Rome et du gypse de Montmartre. Le mélange était cuit, de façon à former une pâte vitrifiée, sorte de fritte qui était réduite en poudre très fine. Puis celle-ci était mélangée à une argile blanche avec de la craie et de la marne calcaire. Pour augmenter la plasticité de cette pâte, on y ajoutait de la colle de parchemin et du savon noir. La cuisson se faisait à un degré assez élevé, étalonné à l'avance pour éviter les fusions. Quant à la couverte, elle était composée de sable de Fontainebleau, de silex, de litharge, de carbonate de soude et de carbonate de potasse.

Nous laissons le lecteur imaginer les complications que devait rencontrer le problème des approvisionnements et le calcul des proportions de chacun de ces produits à faire entrer dans les mélanges.

Les formules des autres manufactures sont presque similaires et tout aussi complexes. Et pourtant, pour certaines manufactures, on parvint à une production relativement importante. Sans plasticité de la pâte, on pouvait difficilement tourner une pièce. Au séchage, des affaissements se produisaient qui rendaient nécessaire la pose « d'étays » pour soutenir les points faibles à la cuisson.

Ces pâtes tendres recevaient une couverte permettant aux émaux de couleurs de donner tout leur éclat. Nous verrons à l'étude des fabriques les résultats surprenants obtenus avec certaines d'entre elles et l'on comprend tout le charme qu'elles apportent. Malgré la complexité de la composition des pâtes, nos manufactures ont pu fabriquer des pièces d'une grande diversité de formes et d'une variété infinie.

Vers 1670, les Poterat à Rouen, après les essais des Médicis à Florence intervenus aux environs de 1580, sont les premiers à réaliser un mélange artificiel applicable à des formes.

Dès 1677, la faïencerie de Saint-Cloud fabrique de la porcelaine tendre. A partir de 1725, Chantilly puis Mennecy, Sceaux et bien d'autres manufactures se spécialiseront dans la fabrication de la pâte tendre jusqu'à la fin du siècle, malgré l'arrivée du kaolin de Saint-Yriex découvert en 1769.

PORCELAINES DURES

Dès 1708 Meissen, puis Vienne vers 1717 fabriquaient une porcelaine dure. Venise avec Vezzi suivait à partir de 1740. En France, avec des apports de kaolin allemand, Strasbourg s'essayait à la fabrication des pâtes dures au milieu du siècle; mais ce n'était là qu'une solution de fortune. Il nous fallait obtenir notre propre kaolin.

Les chimistes attachés à la manufacture de Sèvres, désireux de produire une porcelaine aussi belle que celle de Chine, sont à la recherche du kaolin. Tout est mis en œuvre pour aboutir, et de nombreuses missions sont confiées à divers chercheurs et démarcheurs.

L'évêque de Bordeaux, nanti d'un échantillon de kaolin chinois apporté par un père jésuite, recherche auprès des géologues de sa région une terre de qualité similaire. Il réussit à comparer son échantillon avec une terre blanche du Limousin qu'il enverra à Sèvres. Les essais sont concluants et la carrière de Saint-Yriex est achetée par le roi en 1769.

Les avantages du kaolin sur la pâte artificielle sont nombreux. Plasticité naturelle, facilité de tournage, de tournassage et de moulage, la fabrication est simplifiée. A la cuisson vers 1200-1400°, pas de déformation. On généralise l'emploi des casettes, et les pièces protégées à la cuisson sortent avec régularité. La translucidité est plus grande que dans la pâte tendre, quoique l'aspect reste plus froid. Le kaolin va peu à peu supplanter la pâte tendre, et le XVIIIe siècle, par l'arrivée de la porcelaine dure, sera le départ d'une fabrication enthousiaste. Un grand nombre de manufactures se convertissent à sa fabrication. Sèvres, Paris, par de belles réalisations, donnent le ton. Variété dans les formes et dans les couleurs. Un vaste champ d'applications s'instaure, où chaque artiste peut s'exprimer selon ses goûts et répondre à ceux d'une clientèle capricieuse, certes, et facilement portée sur les banalités, mais qui n'en est pas moins attirée vers le beau.

LES MANUFACTURES

ANGOULÊME

Porcelaine dure, 1809.

Vers 1819-1820, un habile décorateur installé à Angoulême, Mouchard, décore des porcelaines blanches provenant de Limoges.

Les couleurs employées sont assez personnelles. Il fabrique d'ailleurs certaines de celles-ci, et avec ses propres formes remarquées au cours d'expositions locales. Différents rapports et critiques citent cet artiste comme ayant du talent. Cependant ses décors ne sont pas toujours décents.

Peu de pièces ont été produites par cet atelier. Une tasse de la collection Grollier nous a permis de relever la signature.

Mouchard Angoulême
f à St Martin

Mouchard fecit 1809

APREY

Porcelaine dure, 1772

Le centre d'Aprey est surtout connu pour sa faïence, dont la qualité est particulièrement appréciée. Cependant, en 1772, le sieur Devillehaut rapporte dans un mémoire à l'Académie des Sciences les procédés de fabrication d'une porcelaine dure. C'est le seul acte qui nous permet d'affirmer l'existence d'une fabrication de porcelaine dure à Aprey. Toutefois, les archives des Amis du Musée de Sèvres possèdent un recueil légué par le docteur Chompret, datant de 1780, qui reproduit non seulement les formules de mélanges de terres et couleurs pour la faïence, mais aussi des formules de composition de pâtes pour porcelaine.

Le petit nombre de porcelaines que nous connaissons de cette localité nous laisse supposer que peu de pièces ont été fabriquées à Aprey. Un biscuit cependant figure dans les collections du musée de Sèvres avec la signature en creux de Dumon (1772).

Peu d'autres exemplaires de porcelaines de cette époque nous sont parvenus. Contentons-nous d'admirer les faïences grand feu et petit feu de cette fabrique, illustrés par le décorateur Protais Pidoux, qui fit par ailleurs le succès de Meillonas.

ARMENTIÈRES, La-Chapelle-aux-Pots (Oise)

Porcelaine dure, 1896

Armentières, centre de faïence et de grès où prit naissance au XVe siècle la poterie vernissée du Beauvaisis, était un centre où les potiers dignes de ce nom se fixèrent de tout temps très nombreux.

L'un d'eux, Auguste Delaherche (1896) qui réussit pleinement dans la fabrication des faïences et des grès, s'essaya aussi dans la porcelaine. Il créa une petite fabrique dont les produits avaient une certaine particularité. Pas de blanc classique décoré, pas de motif ornemental, mais des émaux colorés, monochromes, recouvrant toute la pièce, brillants ou mats, opaques ou flammés comme le faisaient les Chinois de l'époque de Ts'ing.

La signature est :

Auguste Delaherche
1896

ARRAS (Pas-de-Calais)

Porcelaine tendre, 1770-1790

La porcelaine d'Arras aurait pu se placer parmi les bonnes porcelaines du nord de la France au XVIIIe siècle si la finition en avait été plus soignée, car la pâte était bonne. Les produits de cette fabrique avaient une réputation locale en ce qui concerne les faïences; et la porcelaine aurait pu bénéficier de l'organisation commerciale existante pour prendre également sa place. Cette organisation commerciale particulièrement développée était due aux sœurs Delemer, associées de Delahaye. Celles-ci, très commerçantes, possédaient plusieurs centres d'écoulement, et leur chiffre d'affaires était jalousé.

A l'examen de cette porcelaine, on peut faire un rapprochement avec les pièces de Tournai, centre voisin, dont les productions magnifiques étaient déjà recherchées; mais les décors sont loin de les égaler. Ceux-ci, pour beaucoup inspirés de Chantilly, plus spécialement les camaïeux bleus, sont rarement polychromes.

Les signatures sont le plus souvent celles de Delemer.

Arras 1770-1790

A.R P — AR L — AR 20 — AR — AR O

AR — AR D — AR — AA — DD

Delemer l'an 1771 AR — AR — NAR

AR AR AR AR AR L AR L

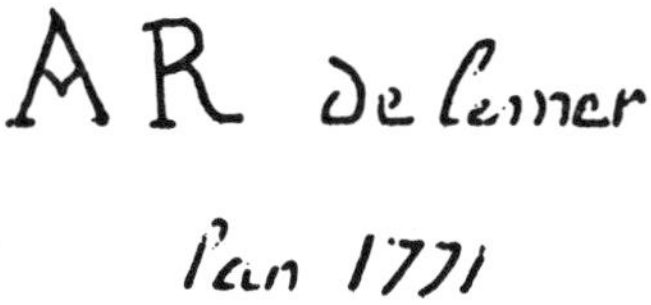

AR de Lerner
l'an 1771

Marques en bleu
souvent en creux
avec initiales du décorateur

BAYEUX VALOGNES (Calvados)

Porcelaine dure, 1793

Bayeux fut le repli d'une petite fabrique de Valognes qui, recevant du kaolin de Saint-Yriex, fabriquait une porcelaine d'assez bonne qualité. Fondée en 1793 par Le Tellier de la Bertinière, celui-ci produisit avec difficultés pendant quelques années, puis eut comme successeur Masson. Mais c'est un chimiste qui apporta en 1802 les améliorations nécessaires à l'assainissement de l'entreprise.

Pour réduire les frais de transport, le kaolin de Saint-Yrieix fut abandonné pour une argile blanche des environs de Cherbourg.

La production se développe assez pour occuper 80 ouvriers.

De nombreux services sont produits, articles de ménage et quelques pièces plus luxueuses qui sont livrées à l'étranger. Un magasin de vente, faubourg Saint-Martin à Paris, écoulait les articles.

La qualité primordiale de cette porcelaine était sa résistance aux variations de température, qualité qui fut appréciée et facilita le développement des ventes.

Gosse, de la rue Coquillière, se rend propriétaire de la fabrique en 1849 et la développera pour en faire une manufacture assez importante.

Marqués en bleu

G
BAYEUX

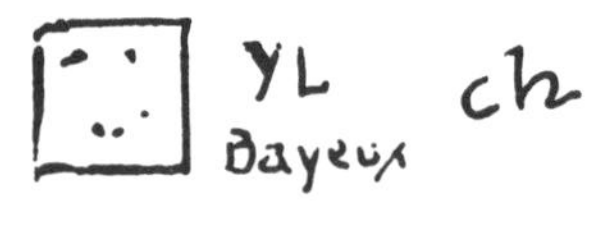

BOISSETTE près MELUN (Seine-et-Marne)

Porcelaine dure, 1778

Manufacture de SAS Mgr le Duc d'Orléans. Ainsi s'intitulait la fabrique qu'avaient fondée en 1778 Vermonet père et fils. Appuyées par leur protecteur, ils avaient obtenu l'autorisation de l'installer et de fabriquer exclusivement pendant vingt ans, et dans un rayon de quatre lieues, seulement de la « faïence et autres ouvrages ».

La production fut relativement réduite et la manufacture ne dura que quelques années.

La pâte d'un très beau blanc était fine. La couverte employée se nappait régulièrement de sorte que les décors lorsqu'ils étaient soignés donnaient des résultats agréables.

Les pièces qui nous sont demeurées, très peu nombreuses, consistent en éléments de vaisselles, cafetières, grands plats. Les décors ne sont pas très variés; inspirés des grandes fabriques, ils consistent en guirlandes, fleurs au naturel sans grande particularité.

B.. B. B B LP

en bleu ou en noir

BORDEAUX (Gironde)
Porcelaine dure, 1784-1790

Les renseignements que nous trouvons sur l'existence d'une fabrique de porcelaine du XVIIIe siècle à Bordeaux sont imprécis. On connaît la succession de directions diverses entre 1787 et 1793, mais rien sur la production, rien sur les marques. Ce n'est que vers 1793 que l'on réunit des documents plus précis permettant d'identifier l'existence d'une manufacture de porcelaine.

Diverses correspondances révèlent la présence de Alluaud et Vanier comme directeurs d'une manufacture. Ce sieur Alluaud, qui fut en même temps et durant trois années directeur de Sèvres à Limoges (1788), facilitera la fabrication et la vente des produits bordelais.

Cette porcelaine était d'assez bonne qualité, elle était cuite au charbon de terre (comme à Valenciennes). Les décors sont bons, inspirés par Limoges ou Paris. Quelques pièces transmises ont retenu notre attention : moutardiers, tasses, coquetiers, sucriers, cafetières, théières, cabarets, écritoires, etc... Ce sont généralement des décors classiques : rinceaux, guirlandes en camaïeu bleu, fleurs au naturel, feuillage d'or.

Marques

Une autre fabrique de porcelaine s'installe à Bordeaux en 1836. Fondée par David Johnston, sujet anglais, elle fabriqua une porcelaine tendre et une porcelaine dure, de bonne qualité, très près du genre Wedgwood.

Les activités de cette fabrique furent de courte durée.

Peu de marques.

W. W.

A. VIELLARD & Cie

DAVID JONSTON

BORDEAUX

DAVID Johston

BORDEAUX

Porcelaine A LA MOUILLE

MEDAILLE D'OR

BORDEAUX

ORMONT & BOX

Bordeaux.

BOULOGNE-SUR-MER

Porcelaine dure, 1857

L'engouement pour les porcelaines au XVIIIe siècle suscite une floraison de nouvelles fabriques. Un peu partout on crée des ateliers; les résultats ne sont pas toujours excellents, mais on cherche à créer, à produire, dans l'espoir d'égaler les fabriques qui réussissent.

L'association Ed. et Firmin Maffreingue, Clarté et Dunand fonde une petite manufacture en 1857 à Boulogne-sur-Mer. Ils feront de la porcelaine dure. Le kaolin de Saint-Yrieix leur permet la fabrication d'une pâte excellente, mais ils ne feront que du blanc.

Exécutant leurs propres modèles, ils livrent à Paris, à tous les décorateurs en chambre, mais cette production ne dura pas longtemps et en 1859 tout était terminé.

Quelques statuettes de ces ateliers méritent une attention. Elles sont dues aux sculpteurs Colomera et Vaillant.

Les marques de Maffreingue sont généralement en creux et représentent une ancre avec les initiales C.D.

Maffreingue
1857

Clarté
1857

BOURG-LA-REINE

Porcelaine tendre, 1772
Porcelaine dure, 1889

Venant de Sceaux et de Mennecy, Symphorien Jacques et Joseph Jullien s'installent en 1772 à Bourg-la-Reine, ils sont heureusement sous la protection du comte d'Eu.

Disons que cette fabrique n'était qu'une prolongation de la manufacture de Mennecy. Les pièces produites par ces deux fabriques peuvent souvent se confondre. C'est une même production, les mêmes décors; on pourrait donc les mettre sur un pied d'égalité.

La qualité de la pâte tendre est très translucide. Toutefois, la formule appliquée à Bourg-la-Reine donne une pâte un peu plus jaune que celle de Mennecy. Les formes sont sensiblement identiques, car elles devaient provenir des même moules.

Reprenant la suite d'une manufacture qui était des plus cotées, Bourg-la-Reine se devait d'exécuter aussi bien, et les décorateurs s'appliquent à l'égaler. Cependant on doit remarquer que, malgré tous les soins apportés, les productions sont moins attrayantes.

Les petits pots à onguents en camaïeu bleu à décor type Berain par exemple, qui à première vue pourraient être confondus avec ceux de Mennecy, se révèlent différents à l'examen un peu plus poussé.

Peu de pièces sont actuellement connues et pourtant la production a été très importante.

Les marques sont souvent en creux ou en bleu.

Il y eut également en 1889 à Bourg-la-Reine une manufacture de porcelaines flammées, dirigée par Adrien Dalpayrat qui avait été formé à Bordeaux à la faïencerie de Vieillard. Il installa son atelier et fit de la porcelaine. Les formes et les coloris qui sont agréables doivent donc être mentionnés.

en creux dans la pâte

BOURG-LA-REINE

BR   BR   B.R.   BR

en creux

BR   BlaR   +OB   MO

Greliet   GR et Cie   J.P

BR   Dalpayrat 1889

BOURGANEUF (Haute-Vienne)

Porcelaine dure, 1825

Cette petite manufacture date du début du XIXe siècle. Elle fut fondée par Jeancourt Filhouland en 1825. Son magasin de vente était à Paris, rue Grenelle-Saint-Honoré, au n° 29.

Les clients venaient s'approvisionner, les grands magasins, principalement, trouvaient des services de table de bonne fabrication, aux décors simples et variés. La régularité de leur livraison, l'adaptation de leurs formes aux exigences nouvelles permirent à cette fabrique de se maintenir honorablement.

BRANCAS-LAURAGUAIS

Porcelaine dure, 1758

Ce n'est pas le nom d'une localité, mais celui d'un chercheur, d'un des précurseurs des fabrications de la porcelaine en France.

Vers 1758, le duc de Brancas-Lauraguais, s'essayant aux « méthodes de la chimie », tente des expériences de fabrication de porcelaine dans son château de Lassay. Il produisit la première porcelaine dure fabriquée avec du kaolin français. Nous ne disons pas la plus belle, certes non, car cette porcelaine, exécutée avec une terre trouvée à Maupertuis, près d'Alençon, n'approchait que de très loin les qualités du kaolin limousin; cette porcelaine était trop riche en feldspath, elle se vitrifiait curieusement et son aspect n'était guère flatteur. Mais nous devons citer ce chercheur et sa fabrique, car il a eu le mérite de persévérer dans ses recherches, tentant sans cesse d'améliorer sa pâte par des épurations et des lavages afin d'embellir sa production.

Les produits obtenus étaient d'apparence grise, le plus souvent piqués de points noirs. La couverte prenait irrégulièrement et laissait apparaître des traînées d'un aspect peu attrayant. Cette production fut d'ailleurs peu importante. On a retrouvé quelques assiettes, quelques tasses et soucoupes qui sont signées et portent pour la plupart la date de 1768.

Comme décor, Brancas représente surtout le décor Imari, des fleurs, des papillons copiés de modèles des compagnies des Indes, le tout exécuté simplement. Il est vrai que la pâte, peu flatteuse, ne mettait guère en valeur un décor quel qu'il fût.

CAEN (Calvados)

Porcelaine dure, 1797-1806

En 1797, en plein Directoire, des notables de Caen soucieux d'occuper quelques concitoyens sans travail décidèrent de fonder une manufacture de faïences et de porcelaines. Ils pensaient débuter par une production de qualité intermédiaire, du genre Wedgwood ; mais sans direction, sans programme bien établi, ils s'essayèrent à tout.

Les pâtes qu'ils utilisaient étaient également de provenances diverses : argiles locales, kaolin d'Alençon, de Beaufray, de Saint-Yrieix.

A la manufacture de Montaigue, il manquait incontestablement une tête qui pût imposer l'application d'un programme étudié à l'avance suivant les possibilités de production et les besoins d'une clientèle.

Au début du XIXe siècle, un nouveau directeur, Charles Ménard, réussira cependant dans la fabrication de la porcelaine. Des spécimens de l'époque portent la signature de Malley, d'autres de Dastan, tous deux décorateurs à Paris.

Cette porcelaine est bonne, la couverte est assez fine ; mais peu de pièces décorées sortirent des ateliers. Le blanc, toujours recherché, était livré aux décorateurs de Paris.

A Caen même, quelques pièces décorées par Malley ou François portent leur signature. Elles dénotent une qualité certaine. On regrettera d'ailleurs de ne pas posséder d'autres exemplaires que ceux des musées de Sèvres et Carnavalet. Les marques sont précises : Caen est écrit en toutes lettres, ou Le François à Caen.

CAEN S — Caen — CAEN — Le francois à Caen

CAEN S — Le francois à Caen

CHANTILLY

Porcelaine tendre, 1725-1800
Porcelaine dure

Louis Henri, duc de Bourbon, prince de Condé, grand ami des arts, passionné par les œuvres d'Extrême-Orient, possédait une collection de porcelaines réputée somptueuse. Chine, Japon, Compagnie des Indes autant de pièces rares qui ornaient ses vitrines. Entouré de ces merveilles, « Monsieur le Duc », comme on l'appelait, rêvait d'en reproduire les plus beaux spécimens. En 1725, il installa donc des ateliers dans les dépendances de son domaine de Chantilly, confiant la direction au faïencier Ciquaire Cirou. Grâce au soutien de son puissant protecteur, un privilège de fabrication pour vingt années lui fut accordé (1735). Ce privilège spécifiait qu'il s'agirait « d'une fabrication à l'imitation de la porcelaine du Japon ». Et de ce fait, c'est un décor japonais qui fut appliqué sur les premières fabrications. Ce fut un succès.

Dans les archives de l'époque, on relève certaines formules employées pour confectionner la pâte : marne affinée de Luzarches, sable fin tamisé des « mers de sable » des alentours, alun, sel marin, sel de nitre...

Cette pâte d'apparence blanche fut jalousée par bien des fabriques. L'émail stannifère qui fut utilisé au début fera l'effet de glaçure; il donnait à la pièce un aspect de faïence sur lequel on appliquait une fois cuit un décor de petit feu. Puis la couverte plombeuse remplacera l'émail stannifère, apportant la transparence et protégeant la translucidité de la pâte.

Pour les décors, il nous faut classer Chantilly en trois types différents : le style Imari, plus spécialement Kakiemon, fut le décor qui sera celui des fabrications du début, il durera jusqu'en 1750 environ.

Puis entre 1750 et 1760, c'est un décor dit de « transition » où domine encore l'influence orientale : chinoiseries, fleurs des Indes; ces thèmes décoratifs sont déjà d'esprit européen. Le décor et la fleur dit en étoile sont une tentative d'abandon de ce style oriental qui avait marqué jusque là la fabrication. Les couleurs des émaux sont limitées à la palette chinoise composée seulement de cinq couleurs : le bleu de cobalt, le manganèse brun ou violacé, le vert, le jaune et le rouge feu. Leur légère application à plat révèle des tons pastels, et parfois chatironnés de bleu pour donner une vigueur qui fera chanter l'ensemble du décor.

Enfin viennent les trompe-l'œil. Tous ces décors sont d'une exécution remarquable.

Dès 1760, on applique le décor au naturel, profondément réaliste; le thème floral en est bien connu, avec la fameuse rose de Chantilly appelée quelquefois rose tourbillon, dont les contours indécis sont à peine dessinés.

Dans son ensemble, la caractéristique de Chantilly est un décor oriental, japonais et chinois, et les décors des pièces de la collection du prince de Condé ont marqué très largement la production de cette magnifique manufacture.

Signalons que le prince de Condé avait fait relever par le dessinateur Fraisse tous les motifs décorant les pièces de sa collection. Ce très précieux document servit longtemps aux décorateurs de la manufacture. Il est actuellement conservé au musée de Chantilly.

En dehors des services de formes usuelles et des bibelots décoratifs, Chantilly a fabriqué des statuettes très fines, qui figurent parmi les plus réussies du XVIIIe siècle. Nos musées se sont enrichis de spécimens particulièrement étourdissants. Leur réalisation dénote un sens artistique devant lequel on ne peut que s'incliner.

La marque Chantilly est bien connue. Un cor de chasse dessiné sur toutes ses faces, sur toutes ses formes, souvent apposé à l'envers des pièces, et généralement en rouge.

En 1945, une firme à l'enseigne *« Manufacture de porcelaine de Chantilly »* s'est installée rue du Connétable.

Sur des blancs de formes orientales, de provenance de Limoges, de Couleuvre ou autre bonne fabrique, sont appliqués les décors qui firent au XVIIIe siècle le succès de Chantilly; ceux-ci sont souvent artistement reproduits.

La marque est un cor de chasse surmonté d'un arbre, symbole de la forêt voisine.

chantilly
Ledru
Bonnefoy
adrot
chantilly
en rouge
calun
adrot
Bouley
C.P. 1787
Lorin
chantilly
Pigory
1803
B & C
Bougone et Chalos
B & C.
Michel Aron
CHANTILLY
Pigory
1803
MA
CHANTILLY
Michel Aron
sur statuettes

CHÂTILLON-SUR-SEINE

Porcelaine dure, 1775

Comme il est possible que certains amateurs trouvent sur leurs pièces la marque « Châtillon » nous citons l'existence de cette petite fabrique de porcelaine dure. Mais nous ne possédons que peu de renseignements sur sa date de fondation. Celle-ci se situe vraisemblablement autour de 1775. Toutefois, on ignore quels furent les propriétaires d'origine. Seul apparaît un sieur Roussel, qui prend patente à cette date. Est-il technicien, promoteur, animateur? Les quelques pièces qui nous révèlent son existence sont au musée de Sèvres. Elles nous laissent dans le doute, mais nous ne désespérons pas de percer un jour ce mystère.

Marque Châtillon en rouge.

D V
Chatillon

Chatillon

COLMAR (Alsace)

Porcelaine dure, 1803

Si le lecteur se rend un jour au musée municipal de Colmar, son attention sera attirée par deux pièces de porcelaine dure portant en marque l'origine de Colmar. L'un de ces spécimens porte la signature « Anstett ». Nous nous devons donc de mentionner cette fabrique.

La qualité de cette porcelaine est bonne. Certes, elle n'entre pas dans la lignée des productions exceptionnelles, mais ne faut-il pas donner aux amateurs l'occasion d'apprécier des pièces rares par le nombre?

Nous n'avons pour l'instant aucune précision sur l'origine de cette manufacture et la mettons comme beaucoup à l'étude. De toute façon, le fait de ne trouver que deux exemplaires de porcelaine de Colmar nous laisse penser que la fabrique fut sans grande importance.

Colmar
Anstelt

Colmar Anstett

COULEUVRE (Allier)

Porcelaine dure, 1824 à nos jours

La fabrique de porcelaine de Couleuvre remonte au XVIIIe siècle, vers 1794. Deruelle la dirigeait. En 1824, Honoré, membre du Conseil d'administration de la manufacture de Sèvres, qui avait à Paris un atelier de décoration boulevard Poissonnière, crée une autre fabrique dans les locaux d'une ancienne verrière de Couleuvre.

De nombreux propriétaires se succèdent fabriquant quelques pièces blanches et services utilitaires. On comptait en 1851 68 ouvriers dans cette fabrique. Une production sans recherches artistiques, sans grande particularité, se poursuit jusqu'en 1935, date à laquelle Laurent en devient propriétaire. Aidé de Veyret, porcelainier averti formé aux bons usages de Limoges, une nouvelle orientation naîtra.

Des techniciens sont engagés, alors que parallèlement des artistes parisiens apportent les éléments d'une décoration artistique nouvelle et variée. Des décors de Vinet, Chamby, Peynet, Guy Arnoux sont reproduits sur des pièces diverses : pots à tabac, vases, cendriers. Tous ces produits décorés avec soin donnent un attrait nouveau.

Actuellement la manufacture de Couleuvre comprend 180 ouvriers; elle est toujours sous la direction de Veyret son propriétaire qui sait maintenir une qualité de pâte et de décors qu'apprécie la clientèle des grands magasins et boutiques de cadeaux.

CREIL ET MONTEREAU (Oise)

Porcelaine tendre, 1863

On peut réunir ces deux localités pour une même production. Toutes deux fabriquaient une faïence terre de pipe et une faïence fine. Les résultats eurent un très gros succès et l'on recherche depuis quelques années pots et assiettes qui furent fabriqués au début du XIXe siècle. La fabrique de Creil créée en 1796 par Saint-Cricq-Gazeaux eut pour associé Baignol. Vers 1819 elle fusionnait avec Montereau qui fabriquait les mêmes produits.

Lebœuf et Millet, nouveaux dans l'affaire en 1863, utilisant l'installation de la fabrique de faïence fine, se mettent à fabriquer de la porcelaine tendre. Les produits inspirés des procédés anglais furent assez heureux. En 1895 Creil disparaissait et seul Montereau poursuivait la fabrication des faïences fines; elle tiendra jusqu'en 1945.

CRÉPY-EN-VALOIS (Oise)

Porcelaine tendre, 1762

Certaines porcelaines signées Crépy attestent l'existence d'ateliers de porcelaine dans cette petite ville de l'Oise, pleine de souvenirs.

Grâce aux recherches de Chavagnac et de Grolier, grands collectionneurs et auteurs des plus consciencieux, on a la certitude que vers 1763 une propriété sise à Crépy même fut affectée à la fabrication de la porcelaine sous la direction de Louis Gaignepain, ouvrier ayant travaillé à Mennecy. On sait par ailleurs les difficultés qu'elle rencontra pour parvenir plus tard à une liquidation.

On a également connaissance de livraisons provenant de cette fabrique, de différentes pièces telles que salières, sucriers, cabarets, petits animaux, pots, corbeilles, oiseaux divers. Il semble donc qu'une production suivie ait existé. Contentons-nous d'apprécier les éléments qui nous sont connus et qui portent la marque CP/DCP ou CRÉPY.

Les décors tentent d'approcher quelques-unes des œuvres de Mennecy par leurs décors identiques de petites fleurs polychromes, guirlandes, mais les tons n'ont pas l'éclat de ceux de la belle manufacture.

marque en creux

c.p. crepy D.C.P.

ÉTIOLLES (Seine-et-Oise)

Porcelaine tendre et porcelaine dure, 1768

Des documents d'époque nous signalent la fondation vers 1768 par J.B. Monier d'une manufacture à Étiolles. On mentionne même dans ces actes le dépôt de la marque M.P.

Cette marque relevée sur les pièces fabriquées à Étiolles est parfois suivie du nom de Pellevé. On peut ainsi supposer, selon toute vraisemblance, que Pellevé, faïencier rouennais, était l'associé de Jean-Baptiste Monier dès la fondation de la fabrique.

Dès 1768, la fabrication d'une porcelaine tendre est tentée. D'une qualité très médiocre, elle n'enthousiasme même pas les propriétaires, qui la délaissent rapidement pour fabriquer de la porcelaine dure. Pourtant la proximité de Mennecy aurait pu faciliter la connaissance de leur formule si celle-ci avait transpiré. Malgré une production très restreinte en pâte tendre, nous avons pu rencontrer de petits pots à pommade avec couvercle, style Berain. Imitation de Saint-Cloud, mais c'est loin de l'égaler.

En porcelaine dure, la qualité est très supérieure aux tentatives de pâtes tendres; les formes sont également de petites dimensions, tasses, écuelles, théières, pots divers, sucriers, cafetières et de nombreux vases. Certaines sont d'une très belle qualité.

Les marques reproduisent généralement Étiolles en toutes lettres souvent sans S, parfois suivi d'une ou plusieurs initiales des noms des décorateurs, ou du nom de Pellevé.

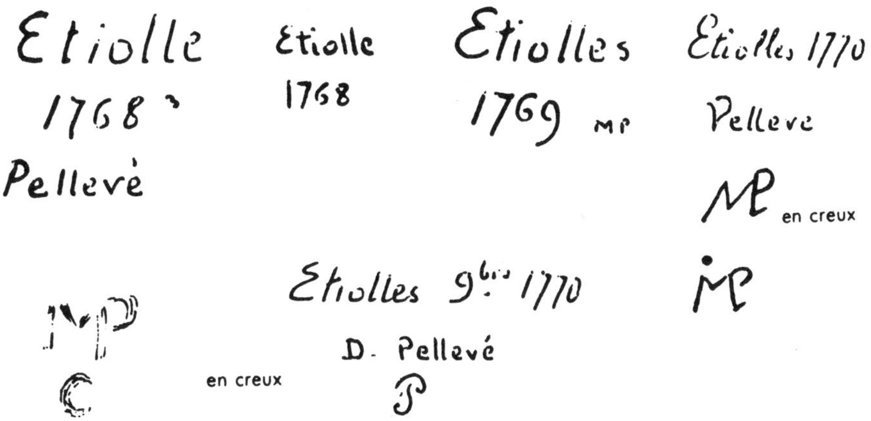

Etiolle 1768 Pellevé

Etiolle 1768

Etiolles 1769 MP

Etiolles 1770 Pelleve

MP en creux

MP

MP C en creux

Etiolles 9bre 1770

D. Pellevé

P

FONTAINEBLEAU

Porcelaine dure, 1795

En 1795, une fabrique de porcelaine fut créée à Fontainebleau. Les ateliers étaient installés dans les communs d'un bel hôtel ayant appartenu à la Pompadour. L'ambiance d'art qui règnait ne pouvait qu'influencer favorablement les occupants. Les propriétaires étaient Benjamin Jacob, Aaron Schmoll. Puis arrive en 1802 Baruch Weil et en 1830 on note l'entrée de Mardochée et Jacob Petit, déjà installé à Paris; celui-ci laissera un nom dans la porcelaine de qualité. (Voir Jacob Petit.)

Sous ces directions successives, la porcelaine dure fabriquée à Fontainbleau fut de bonne qualité. Les décors sont généralement tirés de modèles de Sèvres, toute la gamme des fleurs et des guirlandes est exécutée sur des pots, des encriers, des pendules et quantité de petits bibelots.

Quelques statuettes sont également faites à la manière de Saxe, mais elles sont moins élégantes que celles de Meissen.

A l'époque de Jacob Petit, le style rocaille prédomine avec des décors inspirés du romantisme. Le rococo est un genre très apprécié à l'époque.

Les couleurs sont pâles, souvent rehaussées d'or. L'époque des Benjamin Jacob, des Aaron Schmoll et des Baruch Weil ne nous est pas connue. Mais Jacob Petit, qui signait ses porcelaines des initiales JP autour de quatre épées croisées en bout, a laissé un bon nombre de très bons spécimens.

Actuellement ces pièces sont assez recherchées par les collectionneurs.

GIEY-SUR-AUJON (Haute-Marne)

Porcelaine dure, 1809-1840

La fabrique de Giey-sur-Aujon, bien que qualifiée par plusieurs experts de « petite fabrique », occupa en moyenne trois cents ouvriers de 1809, date de sa fondation, jusqu'à 1830. Elle est donc d'une importance notable. Toutefois peu de pièces circulent et nous n'avons pour l'instant comme témoignage que quelques pièces du musée de Sèvres. Elles portent la marque de E. Guignet, très probablement Mlle Guignet, décoratrice, alliée de François Guignet qui fonda la fabrique.

Peu d'autres pièces nous sont connues, donc peu de marques à reproduire.

GIE E. Guignet

JACOB PETIT

Décorateur sur porcelaine dure, 1796-1842

Les créations de Jacob Petit dans les différents centres de fabrication de porcelaines où il séjourna, constituant un ensemble très personnel nous incitent à étudier en un chapitre spécial la production, les décors et les marques de cet artiste.

Né en 1796, Jacob Petit étudie les arts. Élève de Gros, il est attiré par les petits décors et entre pendant quelque temps à Sèvres. Là, il apprend le métier et acquiert la propriété d'un atelier à Belleville où il exécutera des œuvres pour son compte; il le conservera jusqu'en 1842.

La petite fabrique de Fontainebleau devenant libre, il s'en porte acquéreur de concert avec Mardochée Petit. Et tout en produisant un peu partout, nous le voyons apparaître rue de Paradis vers 1863. Partout Jacob Petit produit une porcelaine dure, très particulière. Au début, ses formes sont classiques, mais rapidement il se dégage des sentiers battus et passe aux formes romantiques et rococo. Il crée des pendules, des encriers, des oiseaux de basse-cour, des veilleuses avec des formes de rocaille abondamment surchargées d'ornement de couleurs.

Imitant Saxe, il exécute des fleurs qu'il pose en relief, anime des fonds unis par des cabochons, apportpnt à ses pièces une forte personnalité qui fut appréciée à l'époque. Cette fantaisie, ces nouveautés ont très certainement influencé la production de son époque.

Les marques sont :

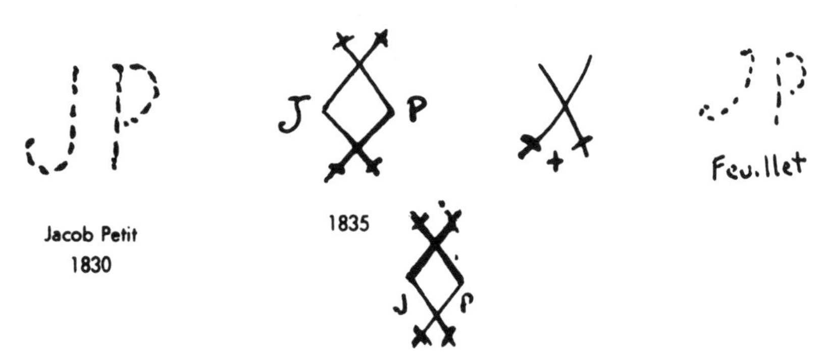

LA SEYNIE (SAINT-YRIEIX) (Haute-Vienne)

Porcelaine tendre, 1774-1836

Il était de bon ton, au XVIIIe siècle, qu'un membre de la noblesse s'intéressât pour la soutenir à une faïencerie ou à une manufacture de porcelaine. Bien souvent les communs des châteaux étaient transformés en atelier de manufacture.

Le château de La Seynie n'échappe pas à cette coutume.

En 1774, son propriétaire, le marquis Beaupoil de Saint-Aulaire, comte de La Seynie, y installait une manufacture de porcelaine. Il la dirigea et la soutint pendant quelques années.

Située à Saint-Yrieix même, à quelques lieues à peine des carrières de Kaolin, entourée de forêts importantes, d'un gisement de pétunsé, tout était à pied d'œuvre et rien ne manquait pour faciliter la production d'une bonne porcelaine.

Cette production fut effectivement assez bonne; mais la direction manquait d'allant. Aucune des initiatives que manifestaient ses voisins de Limoges ne se trouvent chez elle, et la production en fut très quelconque. Quelques tasses et soucoupes, des sucriers, des saucières, quelques écuelles reproduisent des fleurs au naturel (pensées, coquelicots), quelques fonds jaunes, le tout timidement décoré avec une marque LS ou SL en rouge.

Ajoutons à notre étude sur La Seynie qu'un ancien tourneur de Limoges nommé Baignol loua la fabrique de 1789 à 1794; de nombreuses pièces portent sa signature. En 1822, Dominique Denuelle (que nous retrouvons rue de Crussol) se porte acquéreur de la manufacture. Voulait-il ainsi s'assurer des facilités pour la fourniture de blancs à son atelier de Paris? C'est possible. Il est de fait que les avantages procurés par la situation de cette fabrique auraient pu favoriser une production à prix concurrenciels de blancs et décors de grande qualité. Mais Denuelle ne sut pas en profiter.

LS L·S

LA SEINIE

BAIGNOL
Fabricant
à St Yrieix

Baignol
Fabricant
à Saint-Yrieix

LA TOUR-D'AIGUES (Vaucluse)

Porcelaine tendre et porcelaines dures, 1773

Le baron de Bruni, propriétaire d'une fabrique de faïence à la Tour-d'Aigues dont la production est bien connue des amateurs, avait décidé en 1773 de fabriquer de la porcelaine.

Quelques pièces de porcelaine dure de sa fabrication sont parvenues jusqu'à nous. Elles reproduisent la marque de la tour, qui est particulièrement curieuse et peut prêter à confusion avec celles que présentent certaines pièces de Tournai.

Nous reproduisons ci-dessous les deux marques pour les comparer. Certes, la marque de la Tour-d'Aigues offre beaucoup de ressemblance avec celle de Tournai, mais la confusion n'est pas possible pour qui sait que Tournai ne fabriqua que des porcelaines tendres.

La Tour d'Aigues

pour comparaison
ci-dessous la marque
de Tournai

LILLE (Nord)

Porcelaine tendre, 1711-1730
Porcelaine dure, 1784-1817

En 1711, Barthélemy Dorez, de Douai, et son gendre Pierre Pélissier reçoivent l'autorisation de fonder une manufacture de porcelaine tendre. Puis, protégés par un magistrat de la ville, les fils de Dorez poursuivent la fabrication de leur père jusque vers 1730. La production obtenue est assez inégale. Cependant quelques pièces réussies pourraient être confondues à première vue avec celles de Saint-Cloud et par le décor et par la marque L, dont la forme est similaire.

En 1784, une autre fabrique de porcelaine dure fut installée à Lille par Leperre Durot, qui bénéficia du soutien du Dauphin. Ce qui explique la forme de dauphin que l'on trouve très souvent comme marque. Un privilège leur fut accordé.

Cette porcelaine était de bonne qualité, grâce à la cuisson au charbon de terre, bien supérieure, disait-on, à la cuisson au bois généralement employée.

Services de table, assiettes, vases, brocs sont produits en assez grande quantité.

Les décors sont imités de ceux des porcelaines de Paris, très en vogue à cette époque.

attribuées
à Dorez 1715
1730
en bleu
en bleu
a Lille
TERRE · FAIT A LILLE EN FLANDRE CUIT AU CHARBON DE
1785
a lille
a lille
en bleu
a Lille
en bleu
fait par
Lebrun a Lille
en creux
après 1785
en creux
en creux
en or
en rouge
en rouge
en rouge

LIMOGES

Porcelaine dure, de 1771 à nos jours

Le kaolin venait d'être découvert à Saint-Yrieix. Comment ne pas profiter de cette abondante et précieuse matière pour fabriquer une porcelaine dure? On allait enfin pouvoir rivaliser avec Meissen, qui continuait à inonder le marché de ses produits coûteux, pratique préjudiciable à notre économie.

Enfin nous allions pouvoir créer nos modèles.

Dès 1771, Massié, possesseur d'une petite fabrique de faïence depuis 1737 à Limoges, décidait d'entreprendre la fabrication de la porcelaine. Associé aux frères Grellet, il constitue une société. C'était l'époque où Turgot, intendant de Limoges, dirigeait les intérêts de la généralité. Intéressé dans le développement des industries locales, Turgot soutient les efforts du nouveau groupe, facilite l'obtention de privilèges et même l'exemption de certaines taxes.

La possession par le comte d'Artois, frère du roi et futur Charles X, du vicomté de Limoges renforce la protection dont bénéficie la nouvelle manufacture de 1773 à 1777.

Celle-ci prend le nom de « Manufacture Royale de Porcelaines de France ». La présence du comte d'Artois au vicomté de Limoges ne durera pas plus de quatre années, ce qui n'empêchera pas les dirigeants de la manufacture de continuer à fabriquer sous sa marque CD et d'apposer sa couronne.

On fabrique quelques services, des vases, des pièces utilitaires. La fabrication est bonne et appréciée, mais tout ne va pas sans difficultés. A la suite de nombreux déboires et de quelques complications financières, la Société doit se modifier. Massié et Grellet restent seuls pour finalement céder la propriété de l'affaire à Louis XVI en 1784.

Du fait de cette cession, la manufacture devenait la filiale de Sèvres, déjà classée manufacture royale.

La porcelaine produite alors est belle, d'une blancheur et

d'une translucidité parfaites. La couverte est fine et régulière. Les formes qui proviennent de Sèvres pour êtres décorées sont heureuses et Limoges s'accorde pleinement avec sa maison mère pour produire des pièces de qualité.

Recevant les ordres de Sèvres, Limoges effectue soit des formes pour être décorées à Sèvres, soit des pièces pour être terminées à Limoges. Procédure fréquente qui explique que certaines pièces de cette époque possèdent deux marques. En outre, Sèvres reçoit des pâtes toutes préparées pour façonner les biscuits.

Vers 1788, Grellet est remplacé par François Alluaud qui dirigera l'affaire jusqu'à la Révolution. Les marques sont C.D. à la fois peintes et en creux. En 1797, François Alluaud installe à Limoges une nouvelle fabrique de porcelaine dure, fabrique que son fils François reprendra à sa mort en 1801. Se libérant de l'influence de Sèvres, François Alluaud crée des œuvres personnelles. Un style différent des classiques s'instaure à Limoges. Les nouveaux services qui sont créés justifient l'appréciation de qualité qui leur est conférée.

Mais les exigences du marché imposent des transformations. Des installations plus modernes sont nécessaires pour la mise en œuvre d'une production moins artisanale et ces installations industrielles entraînent la disparition de quelques petites fabriques ou la fusion d'autres ateliers. Il faut savoir qu'il existait dix-huit fabriques à Limoges aux environs de 1834. Si l'on ajoute à ce chiffre cinq ou six fabriques situées dans les environs des carrières, on imagine sans peine les difficultés que devait provoquer la concurrence. A considérer séparément ces diverses petites fabriques, on peut reconnaître que leur production était de qualité. Mais l'art n'est pas tout; il faut pouvoir durer, écouler la production, équilibrer l'économie d'une usine; cela s'avérait souvent difficile pour les fabriques de l'époque. Il s'ensuivit que seules les principales maisons purent continuer de fabriquer.

Les Pouyat, par exemple, après de nombreuses années de stagnation, après s'être associés à Baignol en 1783, à Russinger en 1800, prennent un essor que l'on peut qualifier de magnifique. L'évolution du goût est marquée par la sortie de pièces originales. Si celles-ci n'ont pas toujours été en harmonie avec le classique, elles n'en ont pas moins marqué un stade nouveau qui a placé cette fabrique en tête des nouvelles réalisations de Limoges. Vers la même époque, 1842, un autre promoteur, David Haviland, sujet américain, s'installe à Limoges. Précurseur de toute une lignée de Haviland, il devait laisser un grand nom dans la porcelaine de Limoges.

Fort de l'expérience des fabricants de ce centre, David Haviland adapte sa production aux exigences du moment, s'entoure d'artistes en renom, crée des décors rehaussés d'or qui feront l'objet de commandes très importantes aux U.S.A. et assureront le lancement de son affaire. Son œuvre sera poursuivie par ses fils et petit-fils, ses successeurs dans la fabrique. Ceux-ci feront évoluer les modèles suivant les exigences des acquéreurs, mais auront la sagesse et l'habileté de diriger leur choix en leur soumettant un échantillonnage réalisé par des artistes de talent, maintenant ainsi la qualité séculaire de leur maison.

On ne peut citer toutes les fabriques actuellement en activité à Limoges, capitale de la porcelaine française. Nombreuses sont celles qui produisent, non seulement pour le marché intérieur, mais également pour l'étranger, ces porcelaines dont la marque Limoges est pour la plupart des acquéreurs un label de qualité. Nous citerons cependant la fabrique fondée en 1863 par Guéry et Delinières, reprise ensuite par Bernardeau. La production de cette fabrique mérite d'être mentionnée, tant pour la qualité de ses pâtes que pour la recherche de ses décors.

Loin de nous l'idée d'une démarche publicitaire, la marche de cette fabrique et l'esprit de ses dirigeants étant bien au-dessus de cela; mais l'amateur d'art, l'apprenti connaisseur, qui fort de l'étude de nos marques et de l'appoint de nos conseils, se penche avec intérêt sur les belles productions, ne manquera pas d'enrichir ses connaissances par une juste appréciation de la variété et du goût dont témoignent toutes ces porcelaines provenant des grandes fabriques de Limoges.

C.D C.D C.D. C.D CD CD C.D.

CD C.D CD CD C.D.

Limoges

Manufactur
royalle de limoges

porcelaine
de Limoges
CD

porcelaine
royalle de Limoges
CD

Limoges

CFH / GDM — Gérard et Morel et Dufraissex

C.D / C.D — Limoges, Comte d'Artois

G&Cie / G&Cie — Limoges, Gibus

D&Co / L — Limoges, Guéry et Delinières

H&Co / L — Limoges, Haviland

J.P / L — Limoges, Pouyat

L.S — La Seynie

L.S / B — La Seynie, Baignol

B & Co LIMOGES FRANCE — Bernardaud, Limoges

L. BERNARDAUD & Co LIMOGES / B & Co LIMOGES FRANCE — Bernardaud, Limoges

LIMOGES FRANCE / R&Co LIMOGES FRANCE — Raynaud, Limoges

GDA FRANCE — GDA, Limoges

GDA LIMOGES — GDA, de 1900 à nos jours

Æ Ä — Alluaud, Limoges 19e siècle

THARAUD — Tharaud, Limoges

SLP LIMOGES FRANCE — Société Limousine de Porcelaine

G BOYER & Co LIMOGES — G. Boyer, Limoges

FRANCE Charles Ahrenfeldt LIMOGES — Ch. Ahrenfeldt, Limoges

HAVILAND LIMOGES

Marque	Date	Marque	Date
H & Co L	1876-1889	HAVILAND & Co	1878
H & Co	1877-1880	H & Co ELITE	1883
H & Co L FRANCE	1888-1896	HAVILAND & Co Limoges	1890-1926
Haviland France	1893	Théodore Haviland Limoges FRANCE	1903
LIMOGES THEODORE HAVILAND FRANCE	1936-1945	Théodore Haviland Limoges FRANCE	1925
THEODORE HAVILAND FRANCE	1920-1936	HAVILAND LIMOGES FRANCE	1958
Haviland's Rock Garden	1948	Haviland France Limoges	depuis 1962 actuellement
Haviland LIMOGES FRANCE	1967	Haviland France	depuis 1962

Lanternier
Limoges

A. Vignaud
Limoges

Giraud Brousseau et Cie
Limoges

Société Porcelainière
de Limoges
1962

Aluminite
Limoges

LA KAOLINITE
LIMOGES
M
FRANCE
PORCELAINE A FEU
DEPOSE

L. Michelaud
Limoges

Legrand
Limoges

Ch. Field. Haviland
Limoges

LONGWY (Meurthe-et-Moselle)

Porcelaine tendre, 1828

Nous mentionnons l'existence de cette petite fabrique de pâte tendre à Longwy, créée par Huart en 1828. Celui-ci avait un magasin de vente 42, rue de Paradis, où il écoulait sa production.

Les modèles qui nous ont été soumis imitent les porcelaines anglaises à festons ajourés; quelques pièces sont agréables. Les décors représentant des oiseaux sont un peu dans le style Worchester.

La qualité de la pâte est moyenne et les décors dans l'ensemble n'ont pas grande personnalité.

La marque F Longwy est faite par cachet en creux.

LORIENT (Morbihan)

Porcelaine dure, 1790

C'est par un vase de la collection du musée de Sèvres portant la marque S appliquée en or sur le socle que nous est révélée l'existence d'une petite fabrique de porcelaine à Lorient.

On y lit : fabriqué dans le département du Morbihan par Sauvageau à Lorient. C'est en 1790 que Sauvageau entreprend de fabriquer de la porcelaine, d'abord avec une argile locale, puis avec du kaolin provenant de Saint-Yrieix; il produira quelques services d'une qualité des plus modestes. Les décors sont imités des grandes manufactures, mais sans résultats convaincants.

La marque PL (Porcelaine Lorientaise en bleu) que l'on rencontre également, mais rarement, nous confirme dans l'opinion que cette fabrique fut en fait peu importante.

On peut confondre le PL avec le LP (Louis-Philippe) de la rue Hamelot.

PL   P T   T

FABRIQUÉ DANS LE DEPt du MORBIHAN

PAR SAUVAGEAU A LORIENT.

MAISONS-ALFORT

Porcelaine dure, 1875

C'est une manufacture de porcelaine dure qui s'installe à Charenton en 1875 au lieudit les Carrières.

Charles Lévy en fut le fondateur, puis Henri Lévy, son neveu, lui succéda.

Après quelques années, il s'agrandira en déménageant pour Créteil. Là on fabrique des biscuits, quelques statuettes imitation Saxe.

Malgré les oins apportés aux formes, aux coloris, ces pièces n'arriveront même pas à donner une impression de copie.

La marque est généralement en bleu.

MARSEILLE

Porcelaine dure, 1776-1793

Les fabricants de faïence de Marseille ont presque tous été tentés de créer un département de porcelaines dans leur manufacture.

Aux noms des grands faïenciers, Vve Perrin, Honoré Savy, Gaspard Robert, il y a lieu d'ajouter également Jacques Borelly et Antoine Aveillard qui, eux aussi, plus tardivement il est vrai, se sont essayés sur la porcelaine (vers 1776).

Tous tiennent à cette fabrication. Est-ce le charme indéfinissable qui les envoûte, est-ce le caprice d'une imagination féconde qui les poursuit, pourtant la production des faïences de grand feu et petit feu qu'ils produisaient avec succès aurait pu les satisfaire pleinement. Ils tiennent cependant à leur idée, et la porcelaine sera produite à Marseille jusque vers 1793.

Robert fut le producteur le plus important et le plus remarqué. Il utilisait, disait-on, un kaolin des environs d'Alençon. C'est peut-être cette raison qui explique la teinte grise de sa porcelaine.

Savy fabriqua également de la porcelaine et applique son fameux vert.

Les autres fabrications ne furent pas très importantes, mais elles se montrent en général soignées.

Dans les formes, rien de bien particulier. Les modèles de faïences servent aussi pour la porcelaine, elles sont toutefois plus affinées. Les décors sont identiques aux décors de faïence : sujets chinois, camaïeux bleu, rouge de saccius, fleurs, guirlandes sur blanc, scènes champêtres ou maritimes. Les détails sont d'une grande finesse et l'usage de la palette polychrome en a fait de véritables chefs-d'œuvre.

Les marques sont celles apposées sur les faïences.

Marseille Gaspard Robert

MENNECY

Porcelaine tendre, 1737

L'origine de cette manufacture, fondée par François Barbin, est encore confuse. D'une part, les registres d'état civil de Mennecy mentionnent dès 1737 la présence de Barbin en tant que fabricant de faïence et de porcelaine; d'autre part, dans un document daté de 1748, Barbin déclare avoir fabriqué depuis 1734 de la porcelaine dans sa maison de la rue de Charonne à Paris.

Ce qui est certain, c'est qu'en 1750 Barbin s'installe définitivement à Mennecy sous la haute protection de François de Neufville, duc de Villeroy. Son fils Jean-Baptiste devient son associé puis son successeur. A leur mort en 1765, la manufacture est reprise par Joseph et Symphorien Jacques, entrepreneurs à Sceaux.

La formule de leur pâte était certainement très heureuse. Nous avons connaissance de cette formule composée de silice, chaux, potasse, soude, alumine, oxyde de fer. Ce mélange, revêtu au début d'une émail stannifère, puis par la suite d'une couverte plombeuse, apportait comme à Chantilly l'aspect d'un blanc laiteux des plus attrayants.

Cette qualité exceptionnelle ne pouvait que contribuer au développement progressif de la fabrique et, tout en restant artisanale, la production devint très importante.

Les œuvres du début, de style extrême-oriental, sont proches des porcelaines de Chantilly. Style kakiemon dans toutes ses fantaisies et toutes ses variétés. Puis Mennecy oriente sa production vers la statuaire. La finesse, l'élégance de ses exécutions rappellent les œuvres de Saxe.

Comme pour l'ensemble des manufactures de pâtes tendres, la prédominance va aux petites objets. Petits vases Médicis, pots pourris, moutardiers, pots à onguent, pots à crème, manches de couteaux, animaux divers, magots ou bouddhas, tabatières à monture d'or ou d'argent.

Toutes ces petites pièces dont l'énumération pourrait s'étendre sont exécutées sur des fonds lisses, fonds de vanneries ou côtelés, qui mettent en valeur les décors.

Ces décors accusent une grande expérience. Les motifs décoratifs ont de la grâce, et l'agencement des couleurs dans des tons riches et vivants est d'un très grand attrait. Les fleurs en guirlandes ou en bouquets sont exécutées dans des teintes légères, transparentes, et cette fraîcheur leur donne un aspect d'une grande pureté.

Les oiseaux également entrent dans la composition des décors. Ébouriffé ou précis, imaginaire ou réaliste, l'oiseau a constitué tout au long du XVIIIe siècle un décor des plus attrayants, aussi bien sur la faïence que sur la porcelaine, mettant en valeur l'habileté du pinceau de l'artiste et sa science des couleurs. Mennecy n'échappa pas à cette tradition.

A penser à cette fabrication admirable, on ne peut qu'imaginer l'émotion que procurait l'ouverture d'un four à Mennecy. Les révélations devaient en être tout simplement éblouissantes.

Mennecy

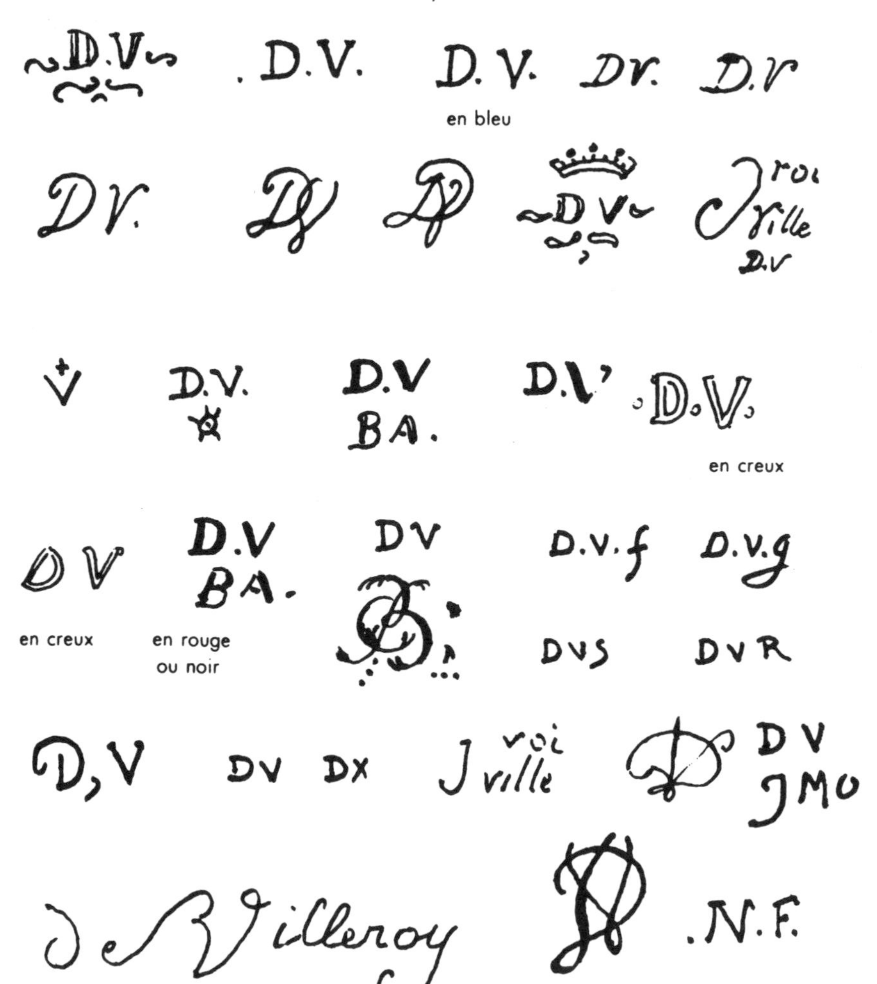

NEVERS

Porcelaine dure, 1809-1866

Nevers n'a pas en porcelaine le renom qu'elle a acquis pour ses faïences. Il est vrai que peu de tentatives ont été faites en porcelaine. Nous trouvons cependant en 1809 qu'un sieur Neppel fabriquait une porcelaine dure ; mais c'était un tout petit atelier qui ne produisit que quelques pièces. Les spécimens que l'on peut remarquer au musée de Sèvres ne sont pas sans intérêt, mais on dut ne produire que très peu.

Ce fabricant se spécialisa dans les décors imprimés sous couverte et c'est dans la mise au point de ses recherches que l'on peut louer ses efforts plus que dans les résultats qu'il nous a légués.

NIDERVILLER

Porcelaine dure, 1765

Jean Louis de Beyerlé, conseiller du Roi, et originaire de Strasbourg, avait fondé une fabrique de faïence à Niderviller en 1748.

Ayant obtenu en 1765 une livraison de kaolin de Saxonie, il s'équipa pour fabriquer de la porcelaine dure.

En 1779, le comte de Custine devint propriétaire de cette manufacture et la dirigea jusqu'à ce qu'il fut appelé aux armées du Nord comme général. Il ne devait plus la revoir, ayant été par la suite condamné à mort et guillotiné.

En 1778 la direction de la fabrique avait été confiée au chimiste François Lanfrey. Celui-ci, aidé de Charles Lemire dit Sauvage, sculpteur et élève de Cyfflé, fabriqua des statuettes sur des moules de ce dernier provenant vraisemblablement de Lunéville.

Ces statuettes étaient fabriquées en porcelaine dure ou en « terre de Lorraine ».

Examinons les caractéristiques de la porcelaine produite, porcelaine dure faite d'abord d'un kaolin allemand puis d'un kaolin limousin avec des formes classiques certes, mais choisies.

On fabrique des services à café, à thé, quelques services de table, des vases, terrines, rafraîchissoirs, pots et pichets.

Les décors sont généralement des camaïeux bleus ou rouges, rinceaux et brindilles, fleurs des Indes et paysages.

En polychromie, ce sont des bouquets de fleurs, paysages divers, scènes champêtres, des marbrés; toutes ces pièces sont dans l'ensemble d'une belle tonalité et l'exécution en est parfaite.

La fabrique n'a pratiquement jamais cessé de fonctionner, mais, à l'heure actuelle, elle produit plus spécialement une faïence de qualité pour services ménagers.

Les marques sont très nombreuses, ce qui provient d'une part de l'importance de la fabrication, d'autre part du grand nombre de décorateurs attachés à la fabrique.

Nous devons signaler la confusion possible des marques de l'époque Custine avec les marques de Ludwigsburg; nous les reproduisons.

Marques de Custine
Niderviller
Marques de Ludwigsburg

ORLÉANS

Manufacture Royale de porcelaine d'Orléans
Porcelaine tendre, 1753
Porcelaine dure, 1768

En 1753, une manufacture de porcelaine tendre est fondée par J.-E. Dessaux de Romilly, directeur de Saint-Gobain. Un privilège lui est accordé et ses produits seront marqués de la lettre O couronnée, peinte en bleu. En 1757, la fabrique est vendue à Gérault d'Araubert, homme d'affaires avisé qui, jusqu'à sa mort survenue en 1782, s'attachera à accroître la production et à en assurer la rentabilité.

Les œuvres en pâte tendre de cette manufacture sont peu connues. Une pièce de pâte tendre marquée figure au musée de Sèvres : c'est un pot à eau d'une qualité exceptionnelle tant par la beauté de la matière que par la parfaite exécution de son décor floral polychrome. Il est regrettable qu'elle soit isolée.

Dès la découverte du kaolin en Limousin, la fabrication de la porcelaine dure est entreprise à Orléans et sa réussite amènera la visite en 1777 du comte de Provence, frère du Roi. Avec la production d'une porcelaine dure, les directeurs, aidés de décorateurs de talent, s'appliquent à conquérir la faveur du public; quelques pièces polychromes de l'époque sont d'un aspect attrayant.

La tradition veut que les porcelaines dures marquées du lambel, tiré du blason des Orléans, proviennent de cette manufacture, mais certains spécialistes seraient tentés de les attribuer à la manufacture de porcelaine dure de Vincennes fondée vers 1765 et protégée par cette même famille.

Deux autres manufactures de porcelaine dure apparaissent à la fin du XVIIIe siècle, celles de Molier-Bardin et de Dabot et Barlois.

Les musées d'Orléans, de Sèvres et quelques collections privées présentent un assez bel échantillonnage des porcelaines dures exécutées après 1780.

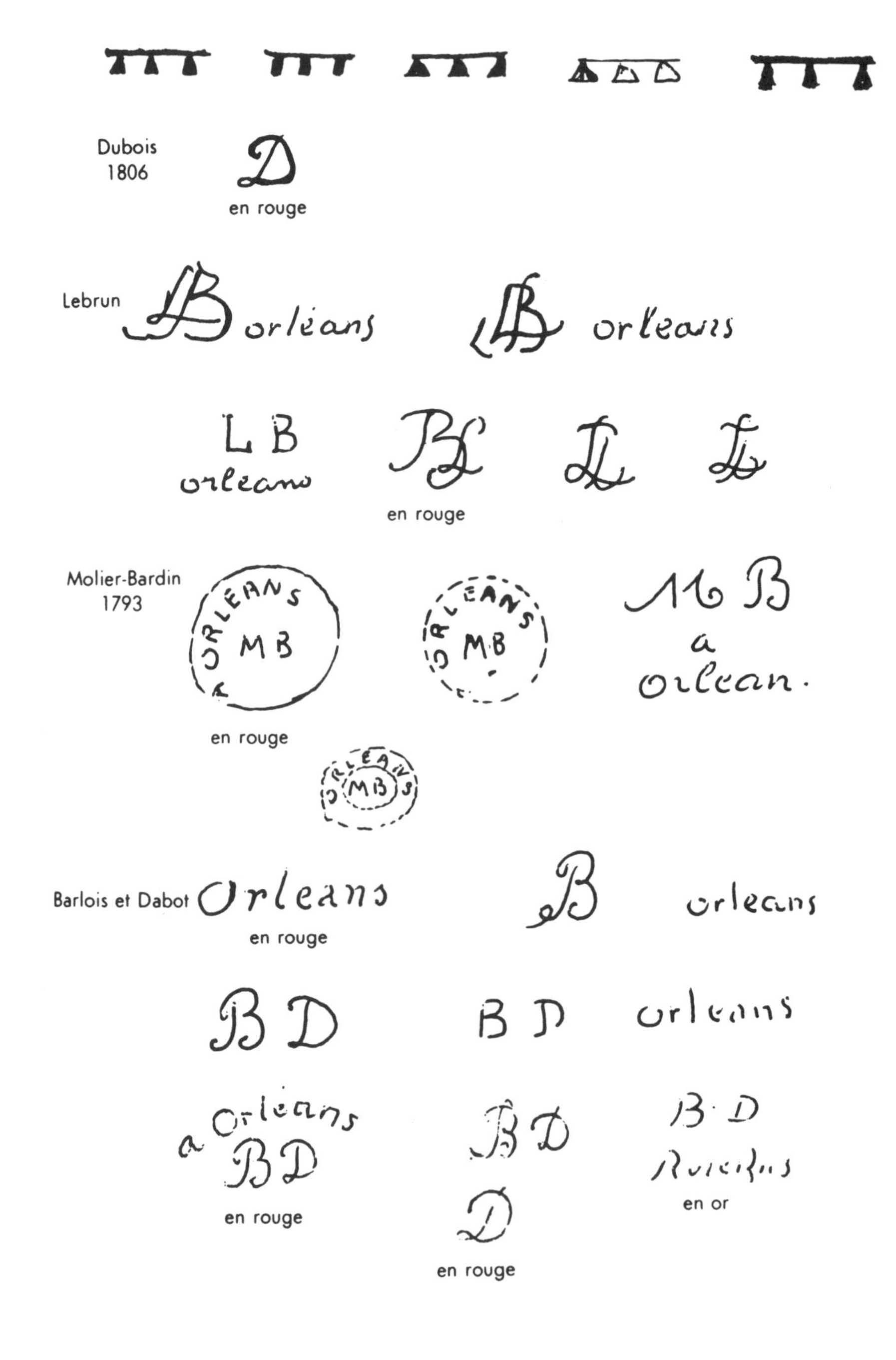
Dubois
1806
en rouge
Lebrun
en rouge
Molier-Bardin
1793
en rouge
Barlois et Dabot
en rouge
en rouge
en rouge
en or

ROUEN

Porcelaine tendre, 1673

C'est bien Rouen qui peut s'enorgueillir d'avoir été la première en France à découvrir la fabrication de la porcelaine tendre.

Edme Poterat, faïencier à Saint-Sever, faubourg de Rouen, obtint en 1673, au nom de son fils Louis, l'autorisation de fabriquer de la porcelaine. La mort de ce dernier en 1696 semble avoir mis fin à cette fabrication.

A vrai dire, la production fut assez restreinte; peu de pièces sont actuellement connues et plusieurs de celles-ci ont encore une origine contestée.

Cependant, l'examen de la pâte, de la couverte, du décor des pièces qui nous sont soumises permettent de procéder à des attributions basées sur des appréciations sérieuses.

La pâte qui est attribuée aux fabrications Poterat est blanche et translucide, avec une couverte souvent teintée de bleu.

Il a été fabriqué plus spécialement des petites pièces, petits vases, moutardiers, pots à onguents, boîtes à épices; salières, gobelets; quelques-unes portent la marque AP que l'on suppose être de la fabrication des Poterat.

Si nous examinons la marque AP surmontée d'une étoile, posée sur plusieurs pièces, nous remarquons que certaines « étoiles » sont percées; ce ne serait donc pas une étoile, mais une molette. Signalons, pour renforcer l'attribution que nous faisons de cette marque aux Poterat, que leurs armoiries portent en chef trois molettes.

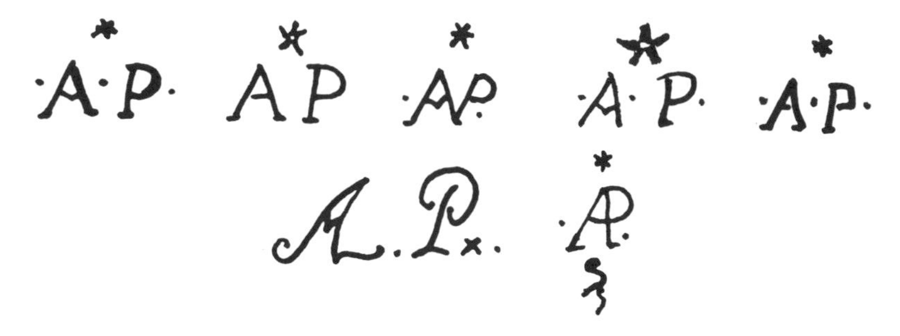

SAINT-AMAND-LES-EAUX

Porcelaine tendre, 1771
Porcelaine dure, 1778

En 1771, Jean-Baptiste Fauquez, qui dirigeait dans l'agglomération de Saint-Amand une fabrique de faïence et produisait depuis trente années de magnifiques pièces, se mit à fabriquer une porcelaine tendre. Il fut suivi en cela par Maximilien de Bettignies, puis par son frère, enfin par ses fils qui continuèrent au XIXe siècle l'œuvre entreprise.

Les qualités diffèrent suivant les époques. Ce sont en général de petites pièces. Quelques éléments de services signés apparaissent dans les ventes locales et l'on peut, en dehors des spécimens figurant dans les musées, en examiner les qualités et suivre l'évolution de cette fabrique.

La pâte est grisâtre, et la couverte est plutôt grossière. Les formes, quoiqu'un peu épaisses, s'apparenteraient aux productions de Tournai, si l'exécution n'était pas aussi souvent indécise ; cependant quelques pièces sont remarquables.

Les décors sont influencés par Sèvres, que l'on cherche à copier. De nombreuses pièces faites à Saint-Amand portent quelquefois une fausse marque de Sèvres.

Les fonds de couleurs, bleu, rose ou vert, sont imités ; mais la technique, dont la grande manufacture conserve jalousement les secrets de pureté et de régularité, caractéristiques des œuvres de Sèvres, est absente.

Les marques sont précises et, en règle générale, la marque est la même que celle reproduite sur les pièces de faïence fine.

Saint-Amand-les-Eaux

SAINT-CLOUD

Porcelaine tendre, 1677-1766

Saint-Cloud peut prétendre avoir été parmi les précurseurs des fabricants de porcelaine tendre, et la qualité de cette fabrication, le charme de ses produits, l'ont placée en tête des manufactures du XVIIIe siècle.

Située en bordure de Seine, elle eut l'avantage d'être près de Paris et à proximité de Sèvres.

Dès 1677 la faïencerie de Saint-Cloud fabrique une pâte tendre qui tout de suite tient la tête de la qualité.

Chicaneau, chimiste et artiste, s'attaqua aux secrets de la pâte tendre; c'était un chercheur. Il réussira pleinement, mais ne demeurera pas longtemps au travail. La mort l'emporte en 1678.

Sa succession fut assurée par sa veuve, née Barbe Coudray, qui épousera Henri Trou, habile maître faïencier de la fabrique, lequel obtiendra la protection de Monsieur, frère du Roi. De nombreux enfants des deux lits continueront, non sans jalousie ni complication, l'œuvre des parents.

En 1722, Henri II Trou, fils d'Henri I Trou, obtiendra un nouveau privilège.

Malgré les difficultés financières sans nombre, les Trou produisent une porcelaine tendre d'une qualité exceptionnelle, mais les complications, les ennuis se font plus nombreux et, à l'approche de l'année 1765, la liquidation est inévitable. En 1766, les fours sont éteints et l'on est obligé de déposer le bilan.

Et pourtant, la production fut abondante; il n'est pas rare de trouver des spécimens des différentes époques de Saint-Cloud chez les collectionneurs et dans les musées.

Les formes des pièces qui sortirent au cours de ces années sont pour la pâte tendre des plus variées.

Comme toujours les petites pièces ont la faveur des acheteurs, leurs modèles sont souvent tirés des formes d'argenterie.

Pas d'assiettes, peu de plats, mais toute une gamme de pots

à crème, pots à onguents, services de toilettes, boîtes à parfum, pots pourris, services ménagers, saucières, sucriers, écuelles, trembleuses. Certaines petites pièces sont côtelées, ce qui donne un relief à leur décor.

Des statuettes sont également créées, Chinois, mandarins, magots, bouddhas, chanteurs d'opéra, petits chiens, tabatières reproduisant des scènes de personnages; celles-ci ont généralement un couvercle en ronde bosse, sertis d'une fermeture métallique en or ou en argent. Puis vint la série des pommeaux de cannes, d'ombrelles, manches de couteaux.

Toutes ces productions d'un émail blanc laiteux très pur, d'émaux de couleurs harmonieusement posés sont un enchantement.

De 1700 à 1722 environ, le soleil du Grand Roi est appliqué sur de nombreuses pièces.

Sous la direction de Trou, le T apparaît en creux en même temps que certaines initiales ou lettres en bleu très vraisemblablement posées par les décorateurs.

Les marques de Saint-Cloud ont pratiquement utilisé toutes les lettres de l'alphabet. La lettre I passée en bleu provoque souvent des confusions avec la Ville-l'Évêque; c'est peut-être aussi une raison supplémentaire pour nous faire considérer ces deux affaires comme jumelées.

S.t C.

LO+ D+

Mcques Drancy

St Cloud 1733

CM

SAINT-LÉONARD (Haute-Vienne)

Porcelaine dure, 1849

Saint-Léonard possédait déjà en 1840 une petite fabrique dirigée par Jullien ; dans son magasin de Paris, il écoulait une production dont on disait qu'elle était « charmante ». Les pièces de cette époque sont rares à l'heure actuelle et nous n'avons pu en examiner les caractéristiques.

En 1849, Jean Pouyat, qui venait de créer une manufacture place des Carmes à Limoges, installa ses trois fils à Saint-Léonard dans une nouvelle fabrique et les ateliers ne tardèrent pas à produire une très bonne porcelaine. Cette production fut soignée, précieuse, et les blancs devaient connaître une grande réputation.

Bénéficiant du soutien et des livraisons de la maison paternelle, Saint-Léonard put faire face à toutes les demandes et l'étroite collaboration qui s'ensuivit apporta des résultats appréciables.

La marque est J-P Jean Pouyat

SCEAUX

Porcelaine tendre, 1748

La fabrique de Sceaux eut des malheurs. Ne fabriquait pas qui voulait de la porcelaine au XVIIIe siècle sans autorisation préalable, certes non, et Sceaux en connut les conséquences.

Il existait en 1740 à Sceaux une fabrique de faïence commune. De Bey, le propriétaire, fait appel à Jacques Chapelle, en 1748, pour fabriquer une porcelaine tendre.

Ils obtiennent le patronage de la duchesse du Maine et tentèrent de produire. Nous disons tentèrent car tout de suite ils essuyèrent les foudres des dirigeants de Vincennes, qui détenaient un privilège exclusif. Malgré les puissants appuis de la duchesse du Maine, la fabrique doit officiellement cesser la fabrication.

Tournant alors la difficulté, Chapelle obtient en 1753 un privilège pour la fabrication de « faïence japonnée », ce qui lui permet de poursuivre sous cette appellation la production de la pâte tendre. En 1763, Chapelle confie l'entreprise au sculpteur Ch.S. Jacques et au peintre Joseph Jullien que nous retrouverons à Mennecy et Bourg-la-Reine.

Puis, en 1772, Chapelle vend la manufacture à Richard Glot, qui s'assura la protection du duc de Penthièvre, Grand Amiral de France (c'est ce qui explique l'apposition de l'ancre dans la marque).

Les formes sont classiques, en grande majorité de style Louis XV, mais elles manquent souvent de caractère et de nouveauté; nous savons que les nouveautés ne se vendent pas tout de suite et qu'il faut des années pour modifier le goût du public et lui faire admettre la révolution qu'apportent des présentations nouvelles à ses habitudes séculaires : c'est donc la fabrication classique qui prévaut : des cabarets, des pots à toilettes, bouilloires, services à thé, plateaux, moutardiers avec des décors très simples. Beaucoup de fleurettes sont demandées.

Il est regrettable que la production de cette fabrique n'ait pas été plus importante. La qualité de sa porcelaine méritait une plus grande production de pièces. La pâte est d'une composition similaire à celle de Bourg-la-Reine : même aspect, d'un blanc assez fin, assez translucide, l'émail est aussi éclatant et quelquefois même plus fin. Sceaux pouvait comme ses manufactures sœurs braver les plus sévères critiques. Les quelques pièces de Sceaux qui figurent dans les musées et collections font le plus grand honneur aux porcelainiers français du XVIIIe siècle.

SÈVRES

Porcelaine tendre, de 1756 à 1800
Porcelaine dure, de 1769 à nos jours

C'est en 1756 que la manufacture s'installe à Sèvres. Le Château de la Guyarde, ancienne demeure du musicien Lulli, est choisi pour abriter les ateliers. Ceux-ci sont aménagés grâce à d'importants travaux, troublés cependant par quelques déboires.

En 1759, la manufacture devient propriété royale. De nombreux artistes célèbres, peintres, sculpteurs, décorateurs et chimistes, participent à la fabrication et à la décoration des porcelaines tendres.

De nouveaux arrêts confirment le privilège de 1745, mais avec moins de rigueur, octroyant plus de liberté aux manufactures rivales, surtout après la découverte du kaolin en 1769.

La manufacture prend de plus en plus d'importance; cependant, malgré son rayonnement mondial, la situation financière à la veille de la Révolution est catastrophique. Néanmoins, Louis XVI maintient les ateliers en fonctionnement. « Je garde la manufacture à mes frais pour ne pas perdre ma dignité », dira-t-il. C'était courageux et c'est peut-être cette décision qui permit de sauver Sèvres, dont l'existence se maintiendra les années suivantes contre vents et marées.

Le style de Sèvres, tant en porcelaine tendre qu'en porcelaine dure, se caractérise par une double tendance : d'une part la tradition par la continuité du style rocaille de Vincennes dans les formes et les décors, d'autre part la nouveauté avec l'apparition d'un certain classicisme conforme au goût de l'époque; toute l'importance est alors donnée à la décoration.

La variété est l'élément dominant de la production de cette période : fonds colorés, avec l'apparition, vers 1757, du fond rose; les fleurs au naturel disposées en bouquets ou en guirlandes, des oiseaux réalistes, et des scènes de genre traitées comme de véritables tableaux. Les formes, notamment celles des vases, sont recherchées et souvent originales. Enfin le succès grandissant du biscuit et la réalisation de somptueux services de table sont le témoignage de la prodigieuse activité de la manufacture dans cette seconde moitié du siècle.

On ne peut rester insensible au charme que dégage cette production dans laquelle s'inscrivent les fastes d'une époque dont les rois avaient été les vrais ordonnateurs.

1793-1804 : Première République; 1804-1814 : Premier Empire; 1814-1824 : Restauration Louis XVIII; 1824-1830 : Charles X; 1830-1848 : Louis-Philippe.

Les règnes se succèdent si rapidement à cette époque qu'il serait trop long d'examiner en particulier la production de chacune des périodes correspondantes. Nous avons cependant relevé les différentes marques, précieuses pour l'attribution des époques.

En 1800 s'installe à Sèvres un homme qui sera sans conteste le directeur le plus important qu'ait jamais connu la manufacture. Brongniart, éminent chimiste, membre de l'Académie des Sciences, désigné par Lucien Bonaparte, va apporter des améliorations considérables à la production de la manufacture. La fabrication de la porcelaine tendre est alors abandonnée et tous les efforts se portent sur la fabrication de la porcelaine dure. La composition de la pâte au kaolin est mise au point par lui. Cuite à 1 400°, elle a fait ses preuves et est encore appliquée de nos jours. Bien d'autres changements devaient être apportés par ce chimiste consciencieux, et les résultats techniques furent des plus heureux.

Traçons un tableau rapide des périodes suivantes : deuxième République 1848-1852, second Empire 1852-1870, troisième République 1871-1940, quatrième République 1940-1958, cinquième République 1958...

La production continue à la manufacture sous la direction de nombreuses personnalités éminentes.

Après les bombardements de 1944, la manufacture reprit courageusement son activité. Elle continue à produire aujourd'hui comme par le passé, appliquant dans une progression ascendante les nouvelles découvertes que ses techniciens peuvent réaliser, cherchant à maintenir le rôle brillant qu'elle a toujours tenu et qui lui a valu sa technique et la renommée auprès des nations du monde entier.

Le musée a regroupé ses riches collections et complété les

vides des époques, grâce à des dons, à des legs particuliers et à quelques achats autant qu'il était possible. Une disposition rationnelle des collections permet de différencier avec précision les époques de fabrication, et la présentation des pièces parfaitement classées procure au visiteur les plaisirs de l'enchantement et d'une évasion hors du temps.

On ne copie que le beau et Sèvres ne fut pas épargnée. Combien de copies n'ont-elles pas été faites? Brongniart, qui dirigea la manufacture pendant quarante-sept ans, assurait que plus de 60 % des pièces vendues sous l'appellation de Sèvres étaient fausses. La marque, relativement simple à copier pour un faussaire qui s'applique un peu, était facile à reproduire. Elle le devint encore davantage à partir du jour où la marque fut apposée par le procédé de la décalcomanie.

L'amateur devra donc ne pas trop se fier à la marque elle-même dans l'appréciation qu'il portera sur un « Sèvres ». Il aura profit à demeurer toujours très prudent, d'autant que de nombreux blancs sortis de la manufacture pour des raisons diverses ont reçu un surdécor appliqué par des décorateurs occasionnels.

Devant la débauche de surdécors sur blanc à laquelle on assista au siècle dernier, la manufacture décida de faire rayer puis meuler la marque sous couverte.

Signalons que les biscuits de Sèvres n'ont jamais été marqués jusqu'en 1800.

Les marques de chaque époque sont mentionnées dans les tableaux qui suivent.

VINCENNES

Louis XV de 1715 à 1774

1742 · 1743 · 1744 · 1745 · 1746 · 1747 · 1748 · 1749 · 1750 · 1751 · 1752 · 1753 · 1754 · 1755 · 1756

VINCENNES
Chiffre royal

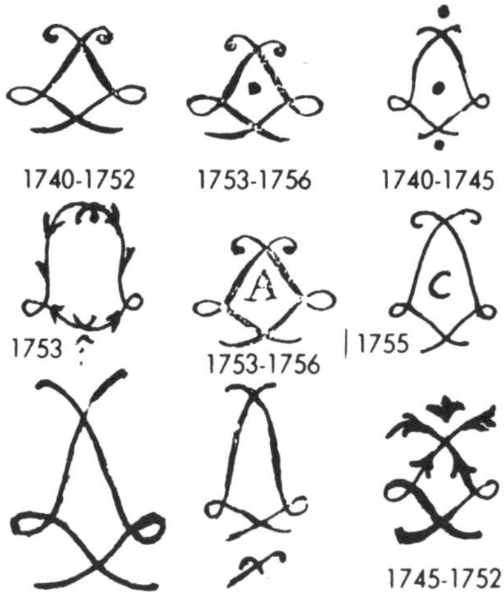

1740-1752 · 1753-1756 · 1740-1745

1753 ? · 1753-1756 · 1755

1745-1752

SÈVRES

Louis XV de 1715 à 1774

1757 · 1758 · 1759 · 1760 · 1761 · 1762 · 1763 · 1764 · 1765 · 1766 · 1767 · 1768 · 1769 · 1770 · 1771 · 1772

Boileau 1745 à 1772

SÈVRES Louis XV

Porcelaine dure · Porcelaine tendre

Louis XVI

1773 · 1774 · 1775 · 1776 · 1777 · 1778

Parent 1772 à 1778

LETTRES DÉSIGNANT L'ANNÉE

Lettre	Année	Lettre	Année
A	1753	N	1766
B	1754	O	1767
C	1755	P	1768
D	1756	Q	1769
E	1757	R	1770
F	1758	S	1771
G	1759	T	1772
H	1760	U	1773
I	1761	V	1774
J	1762	X	1775
K	1763	Y	1776
L	1764	Z	1777
M	1765		

SÈVRES

Règne	Années	Directeur
Louis XVI 1774 à 1791	1779, 1780, 1781, 1782, 1783, 1784, 1785, 1786, 1787, 1788, 1789, 1790, 1791	Régnier 1778 à 1793
	1792, 1793	
1ère République 1793 à 1804	1794, 1795, 1796, 1797	Hettlinger, Salmon, Meyer 1796
	1798, 1799, 1800	Hettlinger de 1797 à 1800
	1801, 1802, 1803, 1804	
1er Empire 1804 1815	1805, 1806, 1807, 1808, 1809, 1810, 1811, 1812, 1813, 1814, 1815	Brongniart 1800 à 1847

LETTRES DÉSIGNANT L'ANNÉE

AA	1778	II	1786
BB	1779	JJ	1787
CC	1780	KK	1788
DD	1781	LL	1789
EE	1782	MM	1790
FF	1783	NN	1791
GG	1784	OO	1792
HH	1785	PP	1793

Pâte dure — AA

Pâte dure — PP

Pâte tendre sans couronne

de 1778 à 1793 (juillet)

1ère RÉPUBLIQUE

RF Sèvres — R.F Sèvres — R.F Sèvres

de 1793 à 1800

Sèvres

1800-1802

M N[le]
Sèvres
—//—

1803

1794 (Massy père)

1er EMPIRE

M Imp[le]
de Sèvres
÷

1804-1812
imprimée

Manufacture Impériale
Sèvres

1813-1815

SIGNES ET LETTRES DÉSIGNANT L'ANNÉE

T 9	IX,	1801	 (signe)	1806	oz	1811
X	X,	1802	7	1807	dz	1812
II	XI,	1803	8 ou ↑	1808	tz	1813
÷	XII,	1804	9	1809	qz	1814
-||-	XIII,	1805	10	1810	qn	1815
					sz	1816
					ds	1817

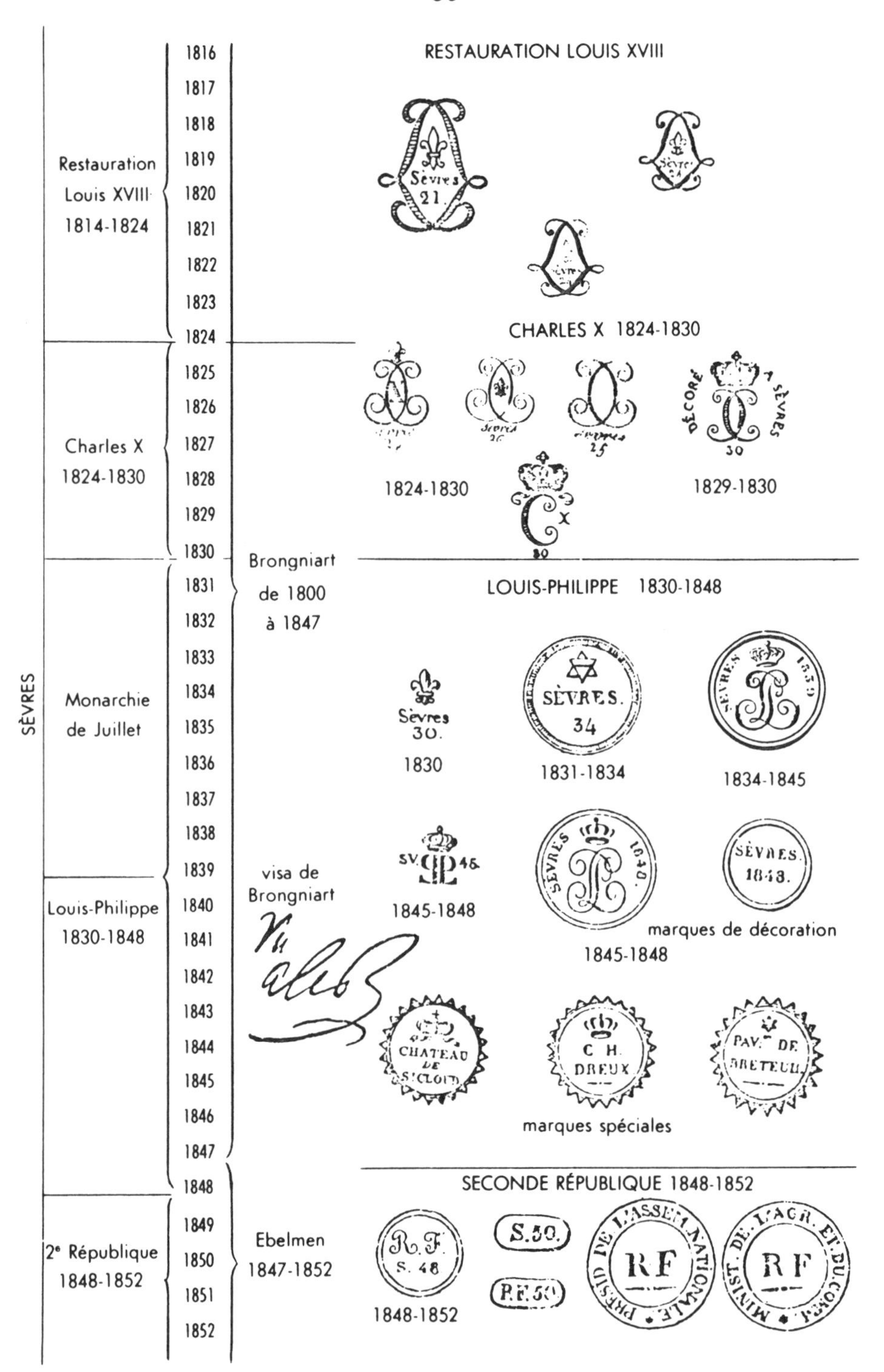

SÈVRES
Restauration Louis XVIII 1814-1824
Charles X 1824-1830
Monarchie de Juillet
Louis-Philippe 1830-1848
2e République 1848-1852
1816
1817
1818
1819
1820
1821
1822
1823
1824
1825
1826
1827
1828
1829
1830
1831
1832
1833
1834
1835
1836
1837
1838
1839
1840
1841
1842
1843
1844
1845
1846
1847
1848
1849
1850
1851
1852
Brongniart de 1800 à 1847
visa de Brongniart
Ebelmen 1847-1852
RESTAURATION LOUIS XVIII
Sèvres 21
CHARLES X 1824-1830
1824-1830
DÉCORÉ A SÈVRES 30
1829-1830
LOUIS-PHILIPPE 1830-1848
Sèvres 30.
1830
SÈVRES. 34
1831-1834
1834-1845
SV 46
1845-1848
SÈVRES 1840
SÈVRES. 1848.
marques de décoration
1845-1848
CHATEAU DE St CLOUD
C. H. DREUX
PAVn DE BRETEUIL
marques spéciales
SECONDE RÉPUBLIQUE 1848-1852
R.F. S. 48
S.50.
R.F.50
1848-1852
PRESID. DE L'ASSEM. NATIONALE RF
MINIST. DE L'AGR. ET DU COM. RF

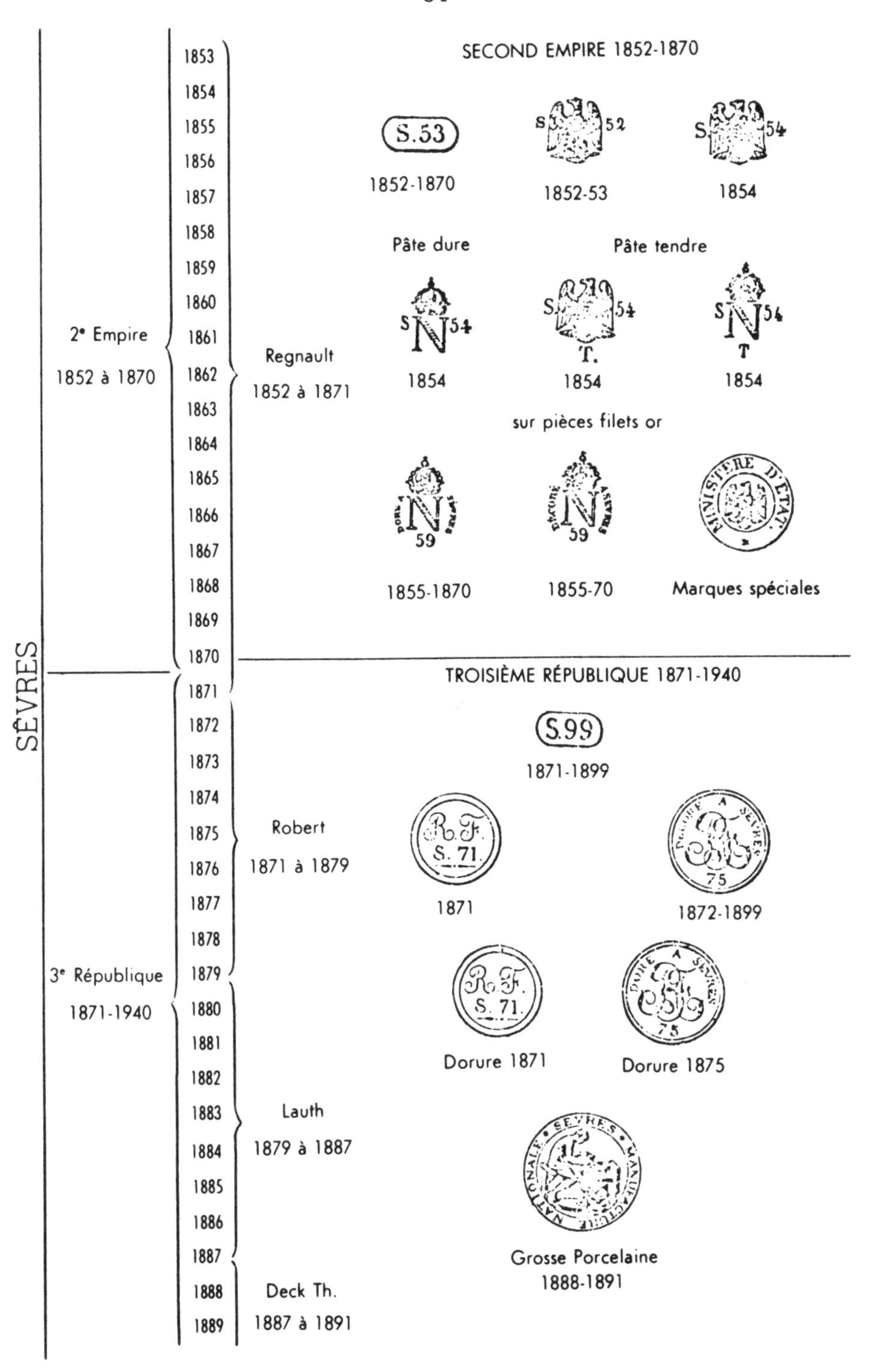
SÈVRES
2e Empire
1852 à 1870
3e République
1871-1940
1853
1854
1855
1856
1857
1858
1859
1860
1861
1862
1863
1864
1865
1866
1867
1868
1869
1870
1871
1872
1873
1874
1875
1876
1877
1878
1879
1880
1881
1882
1883
1884
1885
1886
1887
1888
1889
Regnault
1852 à 1871
Robert
1871 à 1879
Lauth
1879 à 1887
Deck Th.
1887 à 1891
SECOND EMPIRE 1852-1870
S.53
1852-1870
S 52
1852-53
S 54
1854
Pâte dure
Pâte tendre
S N 54
1854
S 54 T.
1854
S N 54 T
1854
sur pièces filets or
N 59
1855-1870
N 59
1855-70
MINISTÈRE D'ÉTAT
Marques spéciales
TROISIÈME RÉPUBLIQUE 1871-1940
S.99
1871-1899
R.F. S. 71
1871
DORÉ A SÈVRES 75
1872-1899
R.F. S. 71
Dorure 1871
DORÉ A SÈVRES 75
Dorure 1875
MANUFACTURE NATIONALE SÈVRES
Grosse Porcelaine
1888-1891

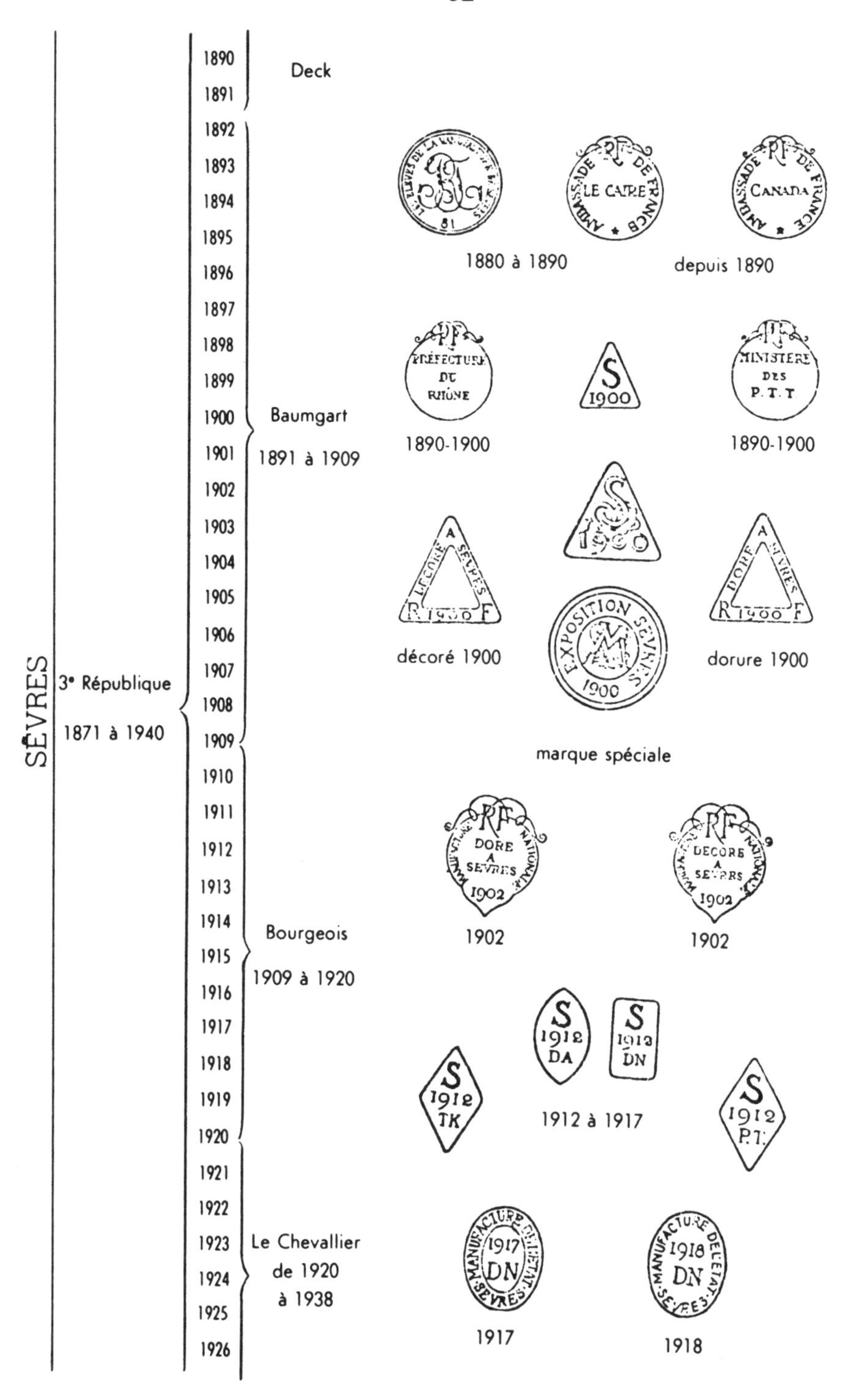
SÈVRES
3e République
1871 à 1940
1890
1891
Deck
1892
1893
1894
1895
1896
1897
1898
1899
1900
1901
1902
1903
1904
1905
1906
1907
1908
1909
Baumgart
1891 à 1909
1910
1911
1912
1913
1914
1915
1916
1917
1918
1919
1920
Bourgeois
1909 à 1920
1921
1922
1923
1924
1925
1926
Le Chevallier
de 1920
à 1938
LE CAIRE
AMBASSADE DE FRANCE
CANADA
1880 à 1890
depuis 1890
PRÉFECTURE DU RHÔNE
MINISTÈRE DES P.T.T.
1890-1900
1890-1900
décoré 1900
dorure 1900
EXPOSITION SÈVRES
1900
marque spéciale
DORÉ A SÈVRES
1902
DÉCORÉ A SÈVRES
1902
1902
1902
1912 à 1917
1917
DN
1918
DN
MANUFACTURE DE L'ÉTAT SÈVRES
1917
1918

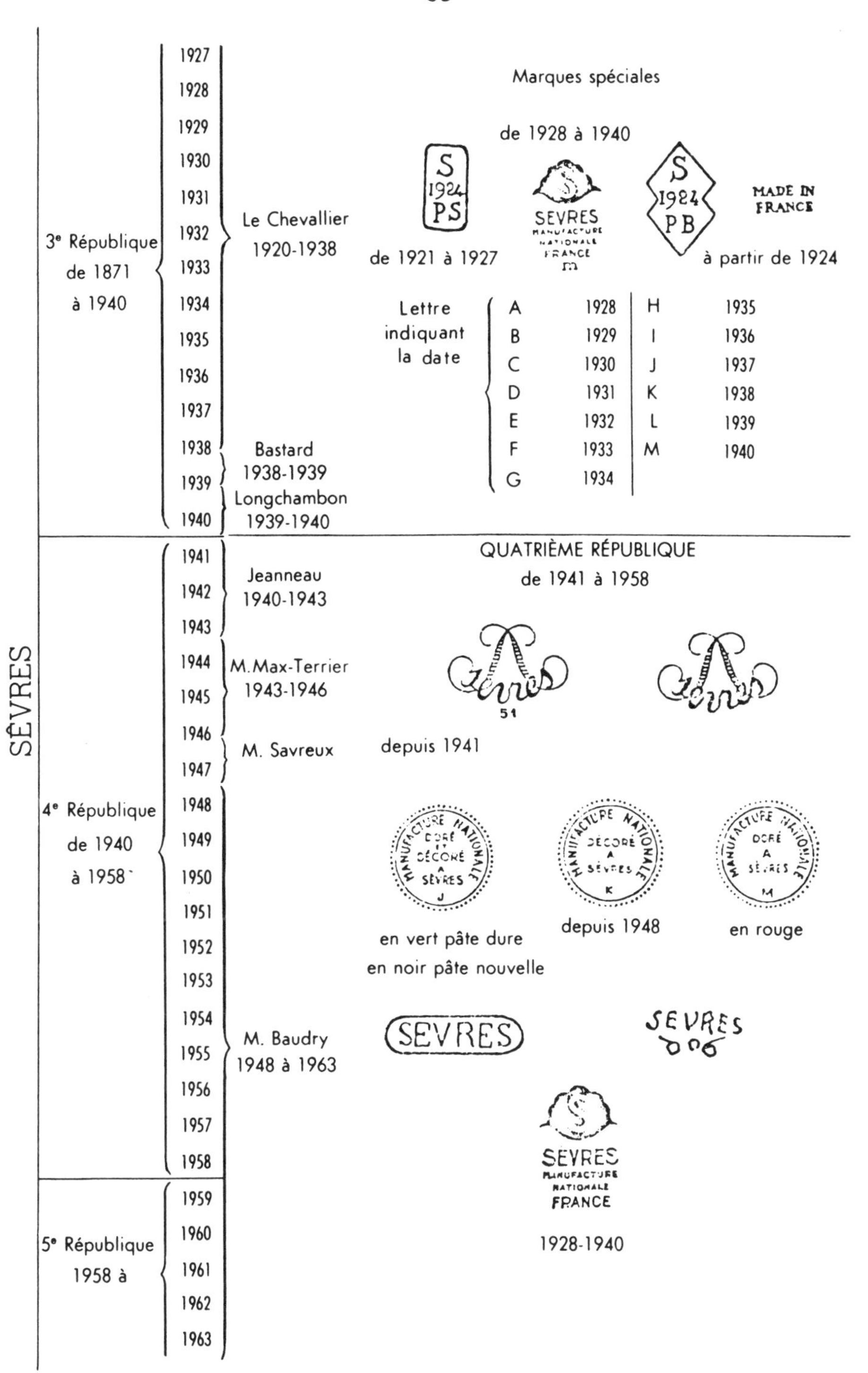
SÈVRES
3e République
de 1871
à 1940
1927
1928
1929
1930
1931
1932
1933
1934
1935
1936
1937
1938
1939
1940
Le Chevallier
1920-1938
Bastard
1938-1939
Longchambon
1939-1940
Marques spéciales
de 1928 à 1940
S
1924
PS
de 1921 à 1927
SEVRES
MANUFACTURE
NATIONALE
FRANCE
S
1924
PB
MADE IN
FRANCE
à partir de 1924
Lettre
indiquant
la date
A 1928
B 1929
C 1930
D 1931
E 1932
F 1933
G 1934
H 1935
I 1936
J 1937
K 1938
L 1939
M 1940
4e République
de 1940
à 1958
1941
1942
1943
1944
1945
1946
1947
1948
1949
1950
1951
1952
1953
1954
1955
1956
1957
1958
Jeanneau
1940-1943
M.Max-Terrier
1943-1946
M. Savreux
M. Baudry
1948 à 1963
QUATRIÈME RÉPUBLIQUE
de 1941 à 1958
Sèvres
51
depuis 1941
MANUFACTURE NATIONALE
DORÉ ET DÉCORÉ A SÈVRES
J
en vert pâte dure
en noir pâte nouvelle
MANUFACTURE NATIONALE
DÉCORÉ A SÈVRES
K
depuis 1948
MANUFACTURE NATIONALE
DORÉ A SÈVRES
M
en rouge
SEVRES
SEVRES
SEVRES
MANUFACTURE
NATIONALE
FRANCE
1928-1940
5e République
1958 à
1959
1960
1961
1962
1963

SÈVRES

5e République de 1958 à ...

1964
1965
1966
1967
1968
1969
1970

S. Gauthier de 1964 à ..

Sevres 64
depuis 1941

SEVRES MANUFACTURE NATIONALE FRANCE

SEVRES
en creux

- noir
- bleu
- verte

définissant les qualités de pâte

Marque des Biscuits

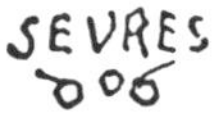

SEVRES 006
Empire

S 1900
1900

SEVRES MANUFACTURE NATIONALE FRANCE

Sevres 51
depuis 1940

Sèvres 70
depuis 1970

marqués seulement depuis 1800

STRASBOURG

Porcelaine dure, 1749

Hans Haug, un grand conservateur du musée de Strasbourg, qui ne se contentait pas de classer ses collections dans les vitrines mais qui en étudiait les origines, précisait que Strasbourg avait été la première manufacture française à réussir la porcelaine dure.

Certes, Strasbourg est surtout connue pour sa faïence décorée au petit feu. Tous les Hannong qui se sont succédé de père en fils ont apporté à la direction de la manufacture une série de chefs-d'œuvre indiscutables. Mais si la faïence strasbourgeoise prédomine au XVIIIe siècle, elle a joué un grand rôle dans la fabrication de la porcelaine.

On sait que Meissen fabriquait une pâte tirée du kaolin de Saxe. Vienne, Berlin, Bayreuth, Höchst, en 1745, réussissaient à se procurer la précieuse matière première et produisaient leur porcelaine. Strasbourg parvint également à cette époque à recevoir du kaolin de Saxe. Avec la collaboration d'ouvriers venant de Meissen ; Paul Hannong poursuit ses recherches et réussit à mettre au point une porcelaine dure mais la quantité de kaolin introduite était limitée et la production était réduite. Toutefois il est certain que les premières vaisselles de porcelaine de qualité sont issues de Strasbourg. Elles étaient « à l'égale de celles de Saxe et surpassaient celles de Chine », disait-on à l'époque.

Paul Hannong eut seize enfants dont sept survécurent. Presque tous bénéficient de l'expérience paternelle, mais le deuxième fils, Joseph Hannong, se distinguera par une sage gestion de la manufacture, apportant la compétence, l'allant nécessaires à un heureux développement. A cette date, les exclusivités accordées à Sèvres sont moins rigoureuses, et les ors, les fonds de couleurs sont exécutés par d'autres manufactures avec plus de tolérance. Strasbourg applique aussi ces décors spéciaux. Joseph Hannong met au point de nouveaux procédés qui amélioreront sa production. Puis, en pleine activité, il décide de s'installer à Haguenau (1776). Il dirige sans difficultés les deux affaires, mais, troublé par des complications financières, luttant sans cesse contre les poursuites administratives qui lui occasionneront de nombreux déboires, il est contraint d'arrêter et c'est la déconfiture.

Les liquidateurs qui examineront la situation déclareront que la production de la porcelaine avait été « tout simplement énorme ».

Si l'on examine les pièces de porcelaine sorties des ateliers avant leur clôture, on peut considérer que les décors ont varié suivant les modes du moment. Mais la qualité est demeuré soignée et régulière.

Différentes études ont été faites sur Strasbourg, notamment en 1952 par Hans Haug mentionné plus haut. Il nous faudrait un volume pour analyser les différentes époques de production. Nous reproduisons les marques, qui furent très nombreuses; elles sont souvent les mêmes que les marques de faïences.

Mais s'appuyer exclusivement sur les marques pour identifier une porcelaine de Strasbourg n'est pas suffisant; il faut considérer les décors, examiner les émaux et les comparer avec des échantillons authentifiés, procédé beaucoup plus profitable, que nous ne pouvons que conseiller.

Indépendamment des services, assiettes, plats, innombrables pots de toutes formes, de nombreuses statuettes et figurines d'enfants ont été fabriquées par la manufacture de Strasbourg.

Imitant Meissen, des animaux et fleurs sous toutes leurs formes dans des coloris les plus variés sont créés. Leur exécution est d'une légèreté, d'une grâce pleines de charme, et les admirer est toujours un enchantement.

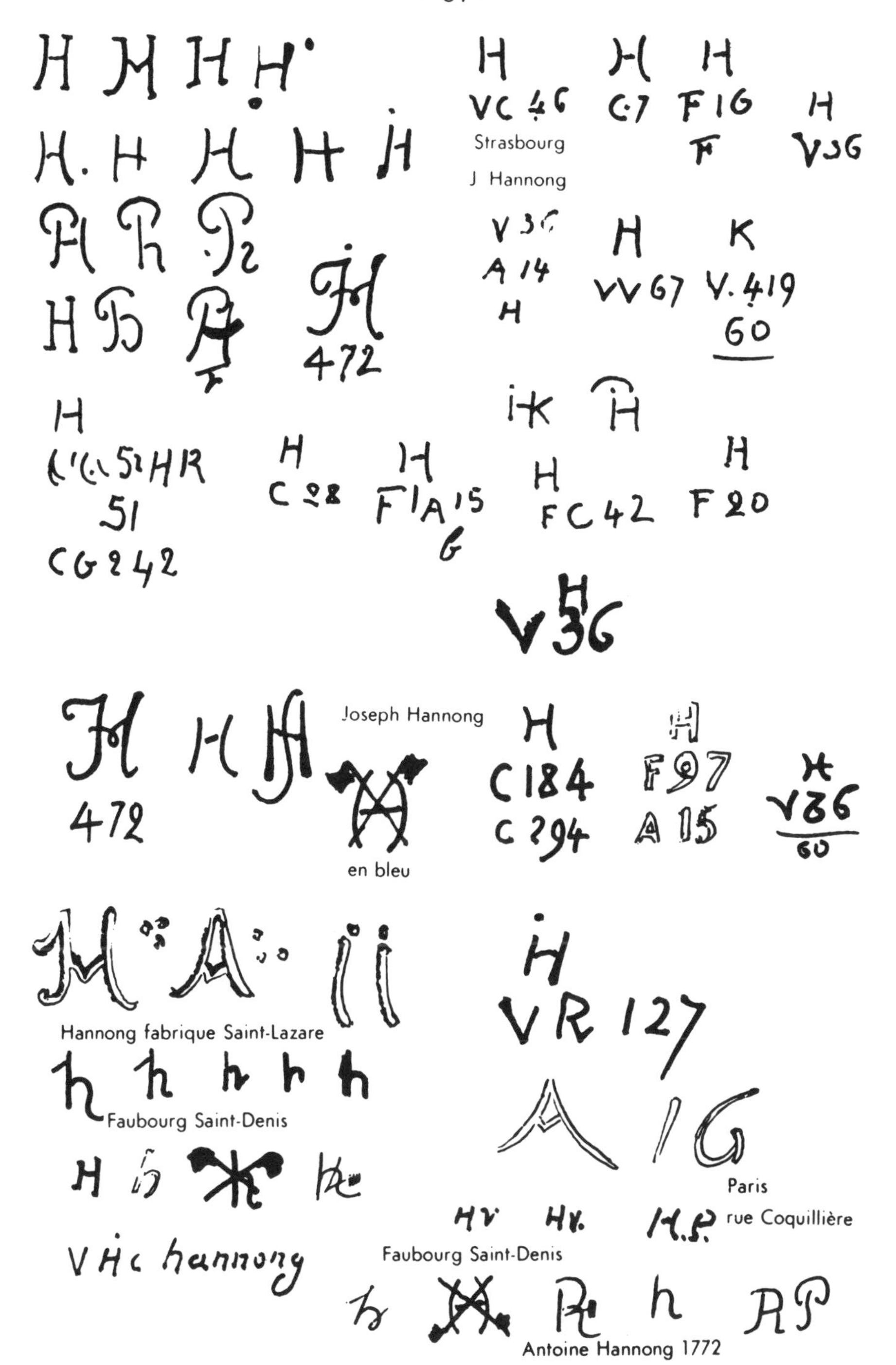

Strasbourg
J Hannong
Joseph Hannong
en bleu
Hannong fabrique Saint-Lazare
Faubourg Saint-Denis
Paris
rue Coquillière
Faubourg Saint-Denis
Antoine Hannong 1772

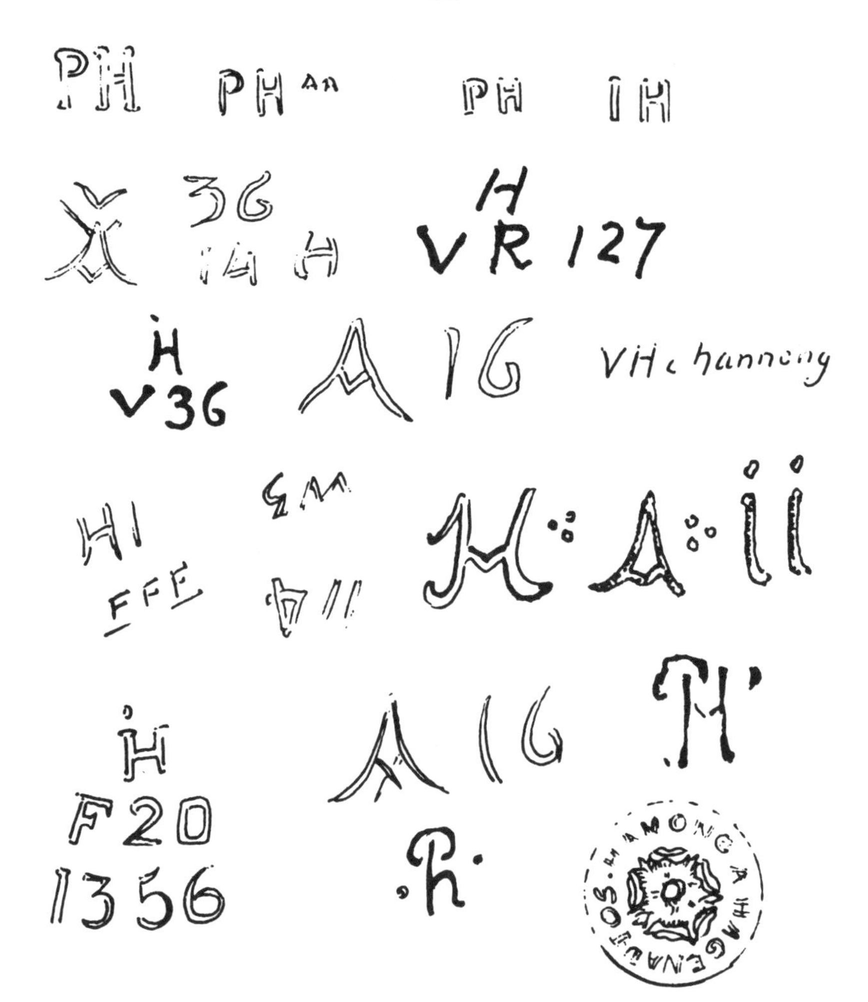

VALENCIENNES

Porcelaine dure, 1785

Nous nous sommes déjà aperçu des difficultés que rencontraient bon nombre de manufacturiers de faïences à fabriquer de la porcelaine sans licence bien établie.

J.B. Fauquez fut parmi ceux-là; installé à Saint-Amand, il tenta de fabriquer de la porcelaine, essuya un refus et dut abandonner. Il tenta de nouveau sur Valenciennes où il réussira. Appuyé par son beau-frère, Lamoninary, il obtint enfin cette autorisation en 1785 et se mit aussitôt au travail. Cette licence précisait :

« Ouï le rapport... permet au Sieur Fauquez d'établir une manufacture de porcelaine à l'imitation de celles des Indes pour une durée de 10 ans... au charbon de terre ».

Cette porcelaine faite avec du kaolin de Saint-Yrieix est sans grande particularité. Durant quelques années, ce fut la production de services de table, services à café, à thé. Toute la série classique des pièces d'usage ménager influencée par Lille, par Tournai fut, disons-le, sans grand attrait.

Par contre, sous Lamoninary, de nombreuses statuettes furent de qualité et assez attrayantes. Des biscuits (rarement marqués) furent également assez bien réussis.

Des personnages de la vie courante, les saisons personnifiées, quelques figures mythologiques ne manquent pas d'attrait.

Les paysages polychromes sont souvent rehaussés d'or, on en rencontre dans des collections privées où les pièces de Valenciennes sont placées dans les bonnes catégories.

Les marques de Fauquez, Lamoninary, Vannier sont précisées dans des entrelacs de majuscules généralement en bleu.

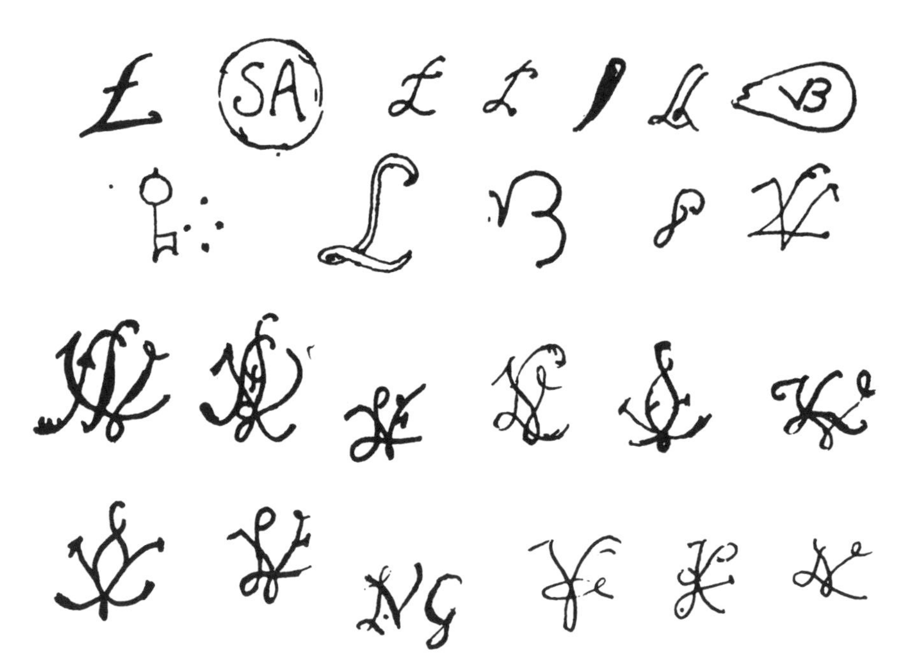

VAUX près MEULAN

Porcelaine dure, 1769?

Les renseignements que nous avons pu réunir sur cette fabrique étant contradictoires, nous ne pouvons nous permettre d'en préciser l'existence. Cependant, si l'on examine la correspondance intervenue entre le sieur Moreau, demandeur, et M. Boileau, directeur de la Manufacture de Sèvres, et, d'autre part, la demande faite à l'Intendant de police pour bénéficier comme fabricant des exemptions à l'arrêt de 1766 (interdiction de fabriquer des biscuits, et appliquer les ors et émaux en couleur), on peut considérer qu'effectivement une fabrique aurait pu exister.

Certaines pièces signées d'un V et non attribuées à d'autres fabriques sont réputées provenir des ateliers de Vaux, mais divers auteurs consultés ne sont pas formels.

Devant toutes ces imprécisions, nous nous abstiendrons de conclure, attendant de recueillir davantage de renseignements pour nous faire une opinion.

VIERZON

Porcelaines du Berry

Ce n'est qu'au début du XIXe siècle que le centre de Vierzon et de ses environs vit s'installer des porcelainiers, et le centre du Berry tient actuellement une grande place dans la fabrication de la porcelaine en France.

Dès 1825, Dubois et Jamet, puis Hache et Julien fabriquent une porcelaine dure.

En 1832, une petite fabrique de Belleville avait transporté sa fabrication de pâte à Vierzon; elle occupait 500 ouvriers. Les décors étaient effectués à Paris rue Vendôme, où 60 à 80 décorateurs s'activaient pour écouler une production assez importante.

Brongniart, qui suivit cette affaire en tant que rapporteur d'une exposition en 1844, affirmait que cette entreprise, par ses qualités de fabrication, méritait les soutiens qu'elle avait sollicités des pouvoirs publics. La direction était assurée par Petry et Roux.

Depuis, bien des fabriques se sont installées dans le Berry et Vierzon abrite la plupart des fabricants.

Si nous ne pouvons les citer tous, nous indiquons leurs marques, que nous avons pu nous procurer. Nous regrettons de ne pouvoir analyser toutes leurs œuvres dont bon nombre ont de très grandes qualités.

Sans être une concurrence pour la production de Limoges, notons que le centre de Vierzon a conquis par la diversité de ses produits, la qualité de ses exécutions, une grande place dans la fabrication de la porcelaine des XIXe et XXe siècles.

A côté de Vierzon s'inscrivent les fabriques de Saint-Genou Palluaud, Foëcy, La Motte-Beuvron, Mehun-sur-Yèvre, Chartres-sur-Cher, Farges, Allichamps. Toutes ces fabriques rivalisent de qualité et bien souvent d'élégance.

PORCELAINES DU BERRY

A Blin
Vierzon

Denert et Balichon
Vierzon

Boutet Frères
Vierzon

Jacquin
Vierzon

Cirot-Brunet
Vierzon

B.M.
VIERZON.

Berlot et Mussier
Vierzon

Taillemite
Vierzon

Gaucher
Vierzon

Veuve Marcel Laillet
Vierzon

Rondeleux
Vierzon-Forges

Massé et Surget
Mehun-sur-Yèvre

Massé et Surget
Mehun-sur-Yèvre

Pillivuyt et Cie
Mehun

Ceramica
Mehun-sur-Yèvre

Pigois-Jacquet
Mehun-sur-Yèvre

Porcelainerie Nouvelle
Lamotte-Beuvron

VINCENNES

Porcelaine tendre, 1738

Déjà vers 1540, François Ier décorait les salles de son château avec des porcelaines de Chine. Les Compagnies des Indes, desservies par des vaisseaux portuguais, apportaient de nombreux services de fabrication chinoise, beaucoup de ceux-ci reproduisant dans un décor oriental les armoiries des grandes familles. Ils étaient des plus recherchés.

A Meissen, dès 1709, on fabriquait des porcelaines dures avec un kaolin local. L'engouement fut tel que naquit le désir d'avoir en France une fabrique de porcelaine tendre. Chicanneau, à Saint-Cloud, commençait à produire de façon courante une porcelaine artificielle.

En 1738, sous l'impulsion d'Orry de Fulvy, intendant des Finances, une manufacture de pâte tendre est fondée à Vincennes. Les frères Gilles et Robert Dubois, qui avaient quitté Chantilly, mirent leurs connaissances au service des dirigeants de la fabrique. Mais la marche de la manufacture n'alla pas sans difficultés. Disons pour sa défense que la fabrication de la pâte tendre était malaisée et même pleine d'aléas. La cuisson en était délicate et, malgré quelques spécimens parfaitement réussis, le pourcentage de déchets était décourageant. Il fallait donc modifier les procédés du début et appliquer une autre formule.

En 1745, un privilège exclusif de fabrication d'une porcelaine « façon de Saxe peinte et décorée à figures humaines » est accordée pour une durée de vingt années. On s'organise donc à Vincennes pour une fabrication rationnelle. Le Roi et madame de Pompadour prêtent leur concours et stimulent le personnel de la manufacture dans l'œuvre entreprise.

Le sieur Boileau de Picardie est nommé inspecteur de la Compagnie et s'attache la compétence du chimiste Hellot, qui composera les pâtes, du décorateur Hults, qui exécutera les modèles, et du peintre Bachelier, qui devint directeur artistique.

La manufacture comptait à cette époque 110 ouvriers. Tout était organisé pour la plus grande réussite de l'entreprise. Les tourneurs, les poseurs d'anses, de becs, de piedouches ne faisaient rien d'autre en dehors de leur spécialité. Les décorateurs se répartissaient, au mieux de leur talent, la variété des décors à exécuter.

L'emploi de la pâte tendre permettait difficilement la fabrication de grosses pièces. On produisit des formes de moyenne grosseur. Écuelles, terrines, saucières, pots pourris, jardinières, pots à eau, vases et statuettes de sujets divers. Autant de merveilles où le génie inventif pouvait donner toute sa mesure.

Comme Meissen, Vincennes fabrique des fleurs de couleurs variées; modelées par une main d'œuvre féminine, ces fleurs étaient montées sur des tiges en laiton et enrubannées avec grâce, permettant la formation de bouquets d'essences diverses. Vincennes peut également s'enorgueillir d'avoir créé de belles statuettes émaillées qui sont d'un charme infini. Mais Bachelier, estimant que la couverte empâtait trop souvent les moulures, proposa de laisser la pâte à son naturel sans couverte aucune; il donna ainsi naissance au biscuit. Celui-ci rencontra aussitôt la faveur de madame de Pompadour et son attrait grandissant sur toutes les places du monde fit qu'il fut bientôt largement imité.

Cependant la marche de la manufacture souffrait de difficultés financières. Sous l'impulsion de madame de Pompadour, le roi décida, « afin de protéger son existence » et de contrôler l'administration de la fabrique, de rapprocher la manufacture de Versailles et, après avoir désintéressé tous les porteurs d'actions étrangers à sa maison, il procéda en 1752 à la liquidation de la société de Vincennes. Une nouvelle Société fut constituée dans laquelle le Roi était intéressé pour un tiers. En 1753, la « Manufacture Royale » était créée.

Parmi les chefs-d'œuvre de cette époque, il nous faut citer les décors en camaïeu bleu ou rose reproduisant les enfants du peintre Vieillard inspirés des dessins de Boucher. N'oublions pas non plus les fonds bleus légèrement nuageux qui laissent apercevoir la transparence du blanc. Les fonds célestes ou turquoises, les fonds verts et jaunes. Tous ces décors sont d'une très grande élégance et d'un charme incomparable, qui feront classer les productions de Vincennes parmi les œuvres les plus délicates du XVIIIe siècle.

Voir les marques sur les tableaux du chapitre « Sèvres ».

LA PORCELAINE DE PARIS

Paris des XVIIIe et XIXe siècles où convergeaient tous les arts, Paris, prestige incontesté du beau, de la qualité et du précieux, était le centre où naissaient les nouveautés, les créations et bien souvent les chefs-d'œuvre.

Paris se devait d'avoir aussi sa porcelaine.

Les services de Saxe figuraient sur les tables des ambassades; Vincennes, Sèvres réservaient leur luxueuse production aux cours royale et impériales, donnant ainsi le ton de la recherche et du bon goût.

Mennecy, Bourg-la-Reine, Chantilly, Saint-Cloud, véritables précurseurs, avaient une production très recherchée et vendaient un peu partout.

Bien des artistes céramistes, jaloux des privilèges accordés aux grandes fabriques, étaient impatients de produire aussi leur porcelaine.

Beaucoup d'entre eux formés dans les manufactures, qui seraient qualifiés à l'heure actuelle de manufactures pilotes, se sentaient capables de fabriquer de la qualité.

Il était bien interdit aux ouvriers de quitter les manufactures pour se placer ailleurs, mais rien ne pouvait empêcher qu'ils s'installassent chez eux à leur propre compte et ce fut dès 1750 une véritable ruée pour la création de fabriques nouvelles dans Paris.

Il est vrai que la protection des grands seigneurs permettant l'attribution de privilèges nouveaux facilita de nombreuses installations. Ces créations étaient encouragées par le fait que le kaolin récemment découvert en Limousin pouvait être librement délivré.

Ils trouvèrent cependant un obstacle à leur bon fonctionnement. Les privilèges qui favorisaient les manufactures de Vincennes puis de Sèvres gênaient sérieusement leur développement.

Fort heureusement, par la protection que les grands seigneurs apportaient à ces nouvelles fabriques, les rigueurs de ces privilèges furent allégées et facilitèrent l'essor de leurs travaux.

On commença par décorer des blancs; ceux-ci étaient fournis par d'excellentes fabriques. Souvent des modèles exclusifs étaient réservés à ces décorateurs, qui connurent un heureux développement et se mirent à fabriquer par la suite leur propre forme. On trouve dans les archives de Limoges la mention des livraisons de pâtes faites aux fabriques de Paris.

La qualité de toutes ces fabriques est assez variée. Certaines, bien connues, sont considérées dans « le Paris de qualité ». Les autres, plus nombreuses, le plus souvent sans marque mais non sans intérêt, sont qualifiées de « Vieux Paris ».

Nous classerons toutes ces fabrications par rues, en donnant par l'étude de chacune d'elle le plus de spécifications possibles et la reproduction de leurs marques pour les reconnaître et les différencier plus facilement. Cependant beaucoup d'entre elles ne portent pas de marque.

Rue de l'Arbre-Sec

Décoration sur porcelaine dure, 1812-1819

Quoique l'intitulant « manufacture », le sieur Meslier n'avait qu'un atelier de décoration. Il achetait ses blancs et variait autant qu'il le pouvait ses décors.

Il tenait magasin au n° 37 de la rue de l'Arbre-Sec et avait son atelier dans l'arrière-boutique.

Plusieurs Meslier apparaissent entre 1856 et 1863.

Meslier aîné, Meslier jeune puis Meslier fils aîné.

Les signatures se trouvent sur nombre de pièces provenant de cette petite fabrique. La qualité est honnête, mais les décors sont très courants.

Marque : MESLIER.

« Meslier aîné Manufacture de porcelaine et cristaux. »

Un autre atelier au 47 de la rue de l'Arbre-Sec décorait également des blancs sous la signature de Froment Louis Pierre et s'intitulait honnêtement « peinture sur porcelaine ».

en 1820

Meslier

MANUFACTURE
MESLIER Aîné
rue de l'Arbre Sec
— n° 37 —
de porcelaine et cristaux

en 1810 Gambier

en 1845 Bernon

Rue du Bac, n° 19

Décoration sur porcelaine dure, 1820

Petit atelier de décor sur porcelaine avec magasin de vente au n° 19, rue du Bac. Les marques justifiant cette existence indiquent Leple jeune ou « Leple au 19, rue du Bac ».

Au n° 50 figurait également un décorateur qui signait Julienne.

Leple Je
rue du bacq n° 19 a Paris

Leple
Je

Leplé
1820

Jullienne

Julienne
rue du Bac N° 50
1830

Rue de Bondy

Porcelaine dure, 1780-1829

Cette manufacture apparaît avec retard sur les autres fabriques parisiennes, puisque sa fondation date seulement de 1780. Il ne s'agit plus d'un petit atelier de décoration, mais bien d'une manufacture proprement dite, qui fut au premier rang des fabriques de porcelaines dénommées de Paris.

Cette manufacture fut fondée en 1781 par Dihl et Guerhard, qui reçoivent à cette date leur autorisation. Ils jouissent de la protection du duc d'Angoulême qui suivra avec grand intérêt la production, se réservant d'ailleurs la livraison de services à son chiffre et à sa marque.

Le volume de la production ne fut pas très grand, ce qui est fort regrettable car les décorateurs de cette petite fabrique ont réussi des œuvres parfaites d'ensemble et de détail.

Sur des formes classiques, des décors en plein, fleurs, oiseaux, sont reportés avec maîtrise. Ceux-ci sont le plus souvent inspirés, pour ne pas dire copiés, de Sèvres. On retrouve les mêmes guirlandes, les mêmes décors à la Buffon, les mêmes entrelacs, mais l'exécution en est si soignée, les oiseaux sur les branches, les fleurs au naturel sont exécutées avec une harmonie si charmante que l'on doit classer les œuvres de la rue de Bondy parmi les plus attrayantes des porcelaines dites de Paris.

Nous passons sur les difficultés; il y en eut comme partout ailleurs. En 1787, le duc d'Angoulême eut à intervenir pour protéger sa manufacture contre les exigences de Sèvres. Dihl put cependant utiliser les décors en or que l'on retrouve appliqués sur de nombreuses pièces portant sa signature.

Les marques de cette fabrique reproduisent le plus souvent les initiales de Guerhard surmontées d'une couronne.

DIHL   Dihl   Dihl   Dihl

Mre de Mr Le Duc
d'angouleme a paris

Mre de Mr le duc
d''Anooulеme
a Paris

Mre de Dihl
et Guerard
Paris.

GUERHARD
ET DILH
A PARIS

Mr de
Guerhard
et Dihl

CH

LV

Mre Dihl & Guerhard

MANUFACTURE DE MONSR
LE DUC D'ANGOULEME
A PARIS

MANUFRE
de MGR le DUC
d'angouleme
a Paris

MANUFRE
MGR le DUC
Angoulеme
Paris

Rue des Boulets
Rue Amelot
Rue Pont-aux-Choux

Porcelaine dure, 1784-1793

C'est en 1784 qu'Honoré de la Marre de Villiers, possesseur de la fabrique de la rue des Boulets, se met à la fabrication de la porcelaine dure. Il travaille pendant deux années avec J.B.A. de Montarcy mais dissoudra sa société en 1786. Montarcy resté seul s'associe avec Alexis Toulouse. Il obtiendra la protection de Louis-Philippe, duc d'Orléans, qui soutiendra l'affaire pendant quelques années.

A ses débuts, la qualité de la porcelaine produite n'est pas particulièrement remarquable, la pâte est grise, bien souvent tachetée de piqûres, ce qui dénote, sinon une fabrication exempte de soins, pour le moins une pâte insuffisamment apurée. Cependant, des améliorations se manifestent et quelques pièces portant l'inscription rue Amelot sont réputées de qualité.

Des services de table sont produits, cabarets, tasses, pots, mais sans recherche dans les formes. Les décors sont inspirés des modèles des grandes manufactures qui tombent sous la main : fleurs, oiseaux et l'éternel barbeau qui est souvent mal dessiné.

La marque L.P. qui sera appliquée jusqu'en 1789 est quelquefois surmontée d'une couronne. Ce détail apporte parfois des confusions avec les productions de Vincennes et même de Boissette, qui jouissaient toutes deux de la protection du duc d'Orléans. Mais la facture est tellement différente qu'après examen et réflexion on n'a aucune excuse à se tromper. L'exécution de Vincennes particulièrement soignée lève immédiatement le doute.

Notons que Pont-aux-Choux s'est spécialisée dans la fabrique des faïences fines. Un exemplaire des essais de pâte dure figure au musée de Sèvres et porte comme marque une fleur de lys.

PARIS

Pont-aux-Choux — Duc d'Orléans — De La Marre 1784

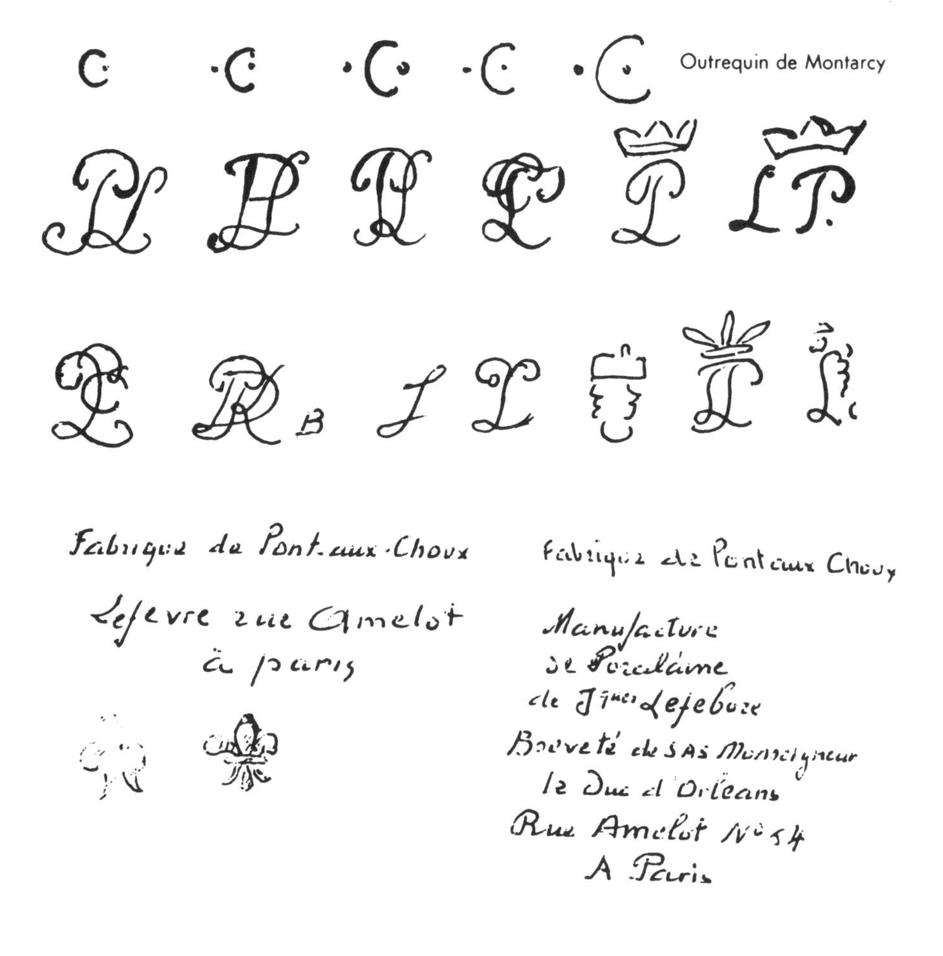

Petit Carrousel

Porcelaine dure, 1774-1800

Il est regrettable que cette fabrique n'ait été en activité que pendant quelques années, de 1774 à 1800, car la porcelaine qui y fut produite, surtout pendant les premières années, fut d'une qualité exceptionnelle.

Cette fabrique fut fondée en 1774 par Guy, qui s'associa à Roussel en 1797. Un petit local servait de magasin de vente et précédait une arrière-boutique éclairée sur la cour où l'on pratiquait les décors.

Pas besoin de grands locaux pour faire de belles productions.

La direction fut assurée par Guy, puis par sa veuve et son fils. Là, point de fabrication de pâte ; les formes en blanc sont livrées de l'extérieur, et l'on se contente de les décorer. Si dans l'ensemble les formes sont classiques, on trouve cependant de temps en temps, à en juger par les spécimens qui nous sont demeurés, quelques formes assez recherchées.

Il n'est qu'à voir les tasses et leur soucoupe, aiguières au bassin, chocolatières aux bords perlés ; une pureté de forme s'en dégage. Il est évident que ce ne sont pas des modèles que l'on trouve couramment. Un très bon décorateur apportera un atout majeur dans cette production. Perche, artiste de talent illustrera de son art un grand nombre de pièces. Que ce soient les décors de papillons, d'insectes, de fleurs, d'oiseaux avec tout le charme de leurs vols capricieux, tout est délicatement agencé, et les jaunes, les bleus, les ors s'épanouissent dans des tonalités magnifiques. Marques :

P
C G
Mre du Pt.
Carousel
a Paris

P
C G

P
C G
MANUFACTURE
du Petit carousel
a Paris

pt
carousel
Paris

Pf

perche fils
betit Carousel
aparis

GUY

Rue de Charonne, n° 5

Porcelaine dure, 1795-1840

La fabrique de la rue de Charonne mérite une attention particulière par la qualité de sa production.

Rue de Clignancourt
dénommée « Fabrique de Monsieur »

Porcelaine dure, 1771-1798

Cette fabrique fait partie des très bonnes manufactures du Vieux Paris. Les nombreuses pièces signées qui nous sont demeurées dénotent une qualité exceptionnelle qu'il nous est agréable de souligner. Et c'est parce que la qualité de la porcelaine produite à Clignancourt était particulièrement belle que le comte de Provence, frère du roi, futur Louis XVIII, accordera sa protection à cette manufacture.

Dès 1767, Pierre Deruelle, architecte et artiste, se rendait acquéreur d'une des dépendances de l'abbaye de Montmartre pour y installer ses ateliers; il crée une société dont il restera directeur jusqu'en 1799.

La fabrication de la porcelaine semble ne commencer qu'au début de 1771. Deruelle, malgré l'appui de son puissant protecteur, n'obtint pas de privilège, mais, reconnu par les services de Police, il fait acte de soumission, s'engageant à respecter l'arrêt de 1767.

Tout allait bien. La production était bonne, agréable de formes, attrayante de décors, elle était très recherchée; mais Sèvres, nanti d'une licence d'exclusivité pour la pose de l'or et l'utilisation des couleurs dans les décors, assigne Deruelle en contrefaçon pour inobservance des engagements pris.

Des saisies furent opérées et, malgré la protection de Monsieur, on dut ralentir la production jusqu'en 1784. A cette date, un arrêt apportait un apaisement aux rigueurs du monopole, autorisant l'emploi de l'or et du polychrome. Ces adoucissements permettent à la fabrique de reprendre son ancienne activité.

C'était une affaire de famille : mère, filles, fils, tous travaillaient, chacun à son poste, pour la prospérité de l'entreprise. Les uns à l'atelier, les autres aux magasins de vente, qui étaient nombreux dans Paris. Les pièces que l'on peut admirer dans les collections privées et dans les musées révèlent une grande maîtrise. Il fut fabriqué des services de table, des vases de formes diverses, tasses, soucoupes, théières, toutes d'un même décorateur, Georges Lamprecht, sujet viennois qui exécuta des camaïeux bistres avec grand succès, inspiration du moment, mais plein d'un charme enchanteur. Les marques sortirent nombreuses, d'abord le moulin à vent, puis les initiales des décorateurs. Le M de Moitte surmonté de la couronne du comte de Provence apparaît fréquemment. Moitte avait succédé en 1780 à Deruelle, son beau-père, et, jusqu'en 1799, dirigea la production.

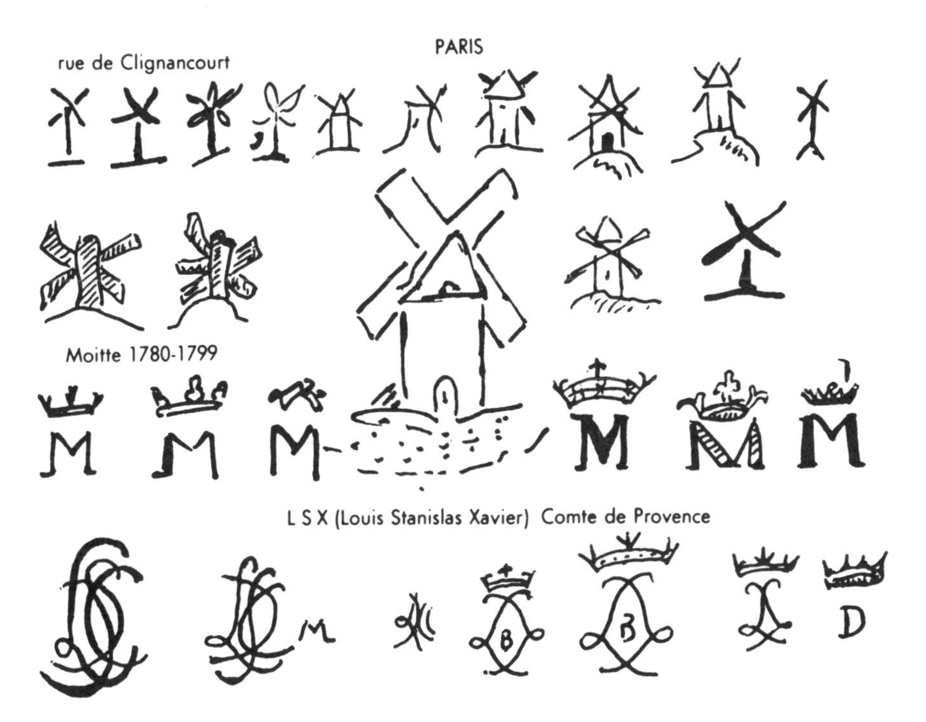

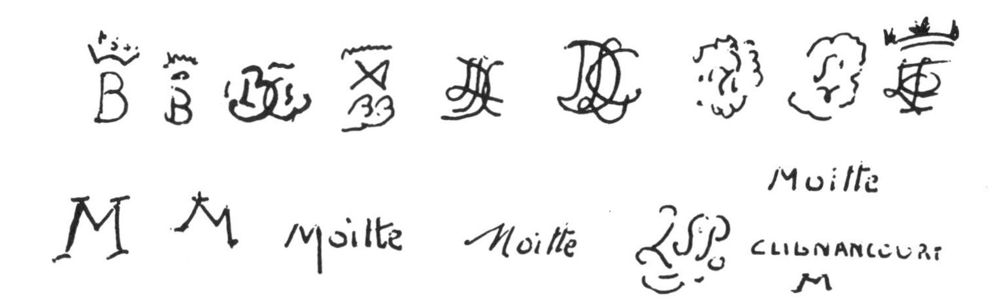

Rue Coquillière, n° 12

« Atelier de décoration sur Porcelaine »
Porcelaine dure, 1812

C'est la désignation que donne le propriétaire Deroche du n° 12, de la rue Coquillière, dans ses actes d'établissement de 1812. Il ne demeurera pas longtemps à cette adresse; différentes déclarations nous précisent qu'il se transporta rue J.-J.-Rousseau n° 16.

Les spécimens que l'on rencontre, provenant de cet atelier, portent la signature Deroche rue J.-J.-Rousseau.

Les successeurs furent Pochet son gendre, puis Vignier, Gosse et Henri Pochet qui tous signent de leur nom.

L'atelier est assez spécialisé dans la fourniture aux pharmaciens et parfumeurs. Les décors sur blanc de porcelaine, aussi bien que sur des pièces de verrerie, sont agréables et furent très demandés. On rencontre parfois certaines pièces signées par les exécutants : Deroche, Pochet, Vignier, Gosse.

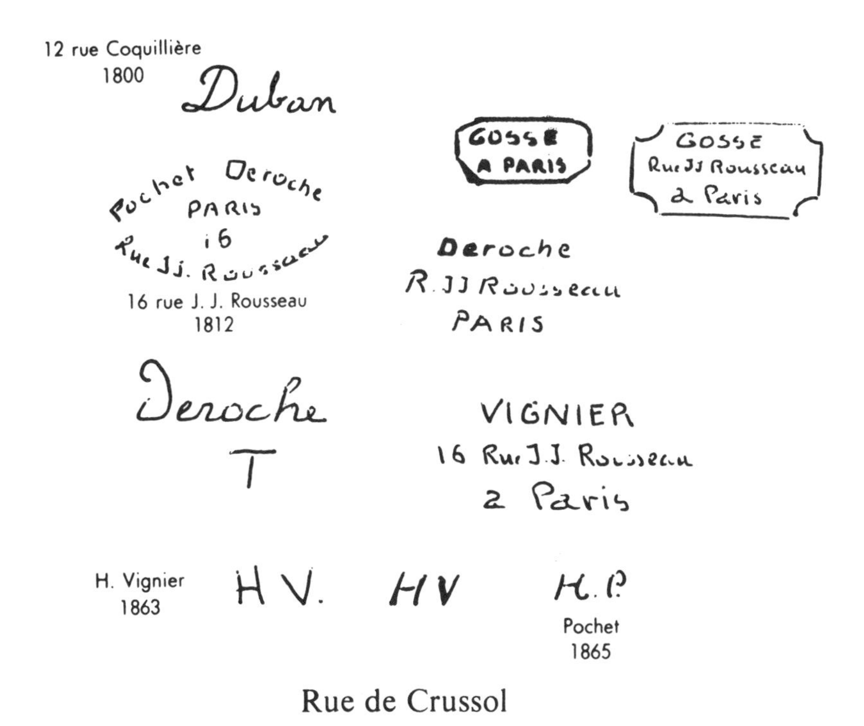

Rue de Crussol

1789-1807

Nous devons distinguer deux fabriques rue de Crussol, aussi qualifiées l'une que l'autre.

A l'enseigne du « Prince de Galles », Charles Potter, sujet anglais, crée une petite fabrique rue de Crussol. Il n'a pas d'autorisation et débute dans la clandestinité. Il végétera longtemps, obligé qu'il était de travailler en cachette. Enfin en 1790 il obtenait un avis favorable à ses demandes, mais sous contrôle. Il ne devait pas produire longtemps.

En 1792, son affaire périclite et il se voit contraint d'abandonner. Il se rend alors acquéreur de la manufacture de Chantilly où il pourra ouvertement donner toute sa mesure.

La porcelaine qu'il fabriqua rue de Crussol était une porcelaine d'assez bonne qualité, mais c'était une porcelaine dure, alors qu'à Chantilly il se trouvait devant une fabrique de pâte tendre.

Les pièces qui nous sont demeurées de la rue de Crussol révèlent des décors soignés, alliance d'éléments géométriques avec des fleurs et des insectes.

Les marques sont : Potter à Paris marqué en or, en creux, ou en rouge.

Cette marque C.P. ne doit pas être confondue avec les pièces de Crépy-en-Valois, en pâte tendre, qui portent parfois les mêmes initiales.

Il y eut une deuxième fabrique rue de Crussol en 1800. Au numéro 8 s'installe un atelier de décor. Les propriétaires se renouvellent sans cesse jusqu'à l'arrivée de Denuelle, dont les travaux ont marqué l'époque.

Protégé par la duchesse de Berry, Dominique Denuelle put développer sa fabrication; il se transporta boulevard Saint-Denis puis faubourg Saint-Denis et se rendit acquéreur de la fabrique de la Seynie pour ne plus être tributaire de fournisseurs pour ses blancs.

Son fils Charles, formé à l'école de son père, dirigea l'affaire avec compétence.

Les marques reproduisent le nom de Denuelle manufacture de porcelaine de S. A. R. Madame la duchesse de Berry.

DENUELLE
A PARIS

Denuelle
Boulevard S' Denis
à Paris

DENUELLE
Rue de Crussol à Paris

DENUELLE

Rue du Faubourg-Saint-Denis
Protection du comte d'Artois, 1779
Porcelaine dure, 1771

Appelée aussi fabrique du Faubourg-Saint-Lazare, puisque la rue portait le même nom.

C'est en 1771 que cette petite fabrique installe ses ateliers dans les locaux de la rue du Faubourg-Saint-Denis.

La marque H fut déposée en 1773 par P.A. Hannong, alors qu'il était encore directeur à Vincennes. Il ne demeure d'ailleurs au Faubourg Saint-Denis que deux années, pour être remplacé par le marquis d'Usson qui cède en 1779 à Staher.

Fort heureusement, cette fabrique était sous la protection de Charles Philippe comte d'Artois (frère du roi); car, sommé par Sèvres d'avoir à cesser l'application des ors, le puissant protecteur put faire calmer les exigences de la Manufacture Royale privilégiée. Il obtint même un arrêt laissant la liberté à quelques fabriques d'appliquer les couleurs et les ors.

La rue du Faubourg-Saint-Denis figurait parmi les fabriques bénéficiaires. Après la Révolution, les privilèges furent abolis. En 1798, la manufacture fut achetée par Marc Schœlcher qui la dirigea jusqu'à sa mort en 1832.

Son fils Victor, qui était déjà son associé, lui succédera, mais lâchera la fabrication pour ne développer que le décor.

La production est, comme chez un grand nombre de fabriquants, assez classique ; ce sont toujours les pièces les plus demandées par la clientèle qui sont exécutées, tasses, soucoupes, pots, pichets de toutes formes, cache-pot, assiettes, vases Médicis dans des formes courantes. Les décors sont soignés, élégants, les couleurs sont vives. On trouve des paysages tirés des gravures de grands maîtres, quelques scènes historiques ou mythologiques rehaussées de dorures.

Les marques sont assez précises. Au début figure le H de Hannong croisé de deux pipes, ou deux pipes seules, puis le C P de Charles Philippe comte d'Artois, quelquefois surmonté d'une couronne.

Les marques de Schœlcher sont en toutes lettres.

Il nous faut noter que Schœlcher signa quelques pièces produites aux ateliers de Perche où il travailla plusieurs années.

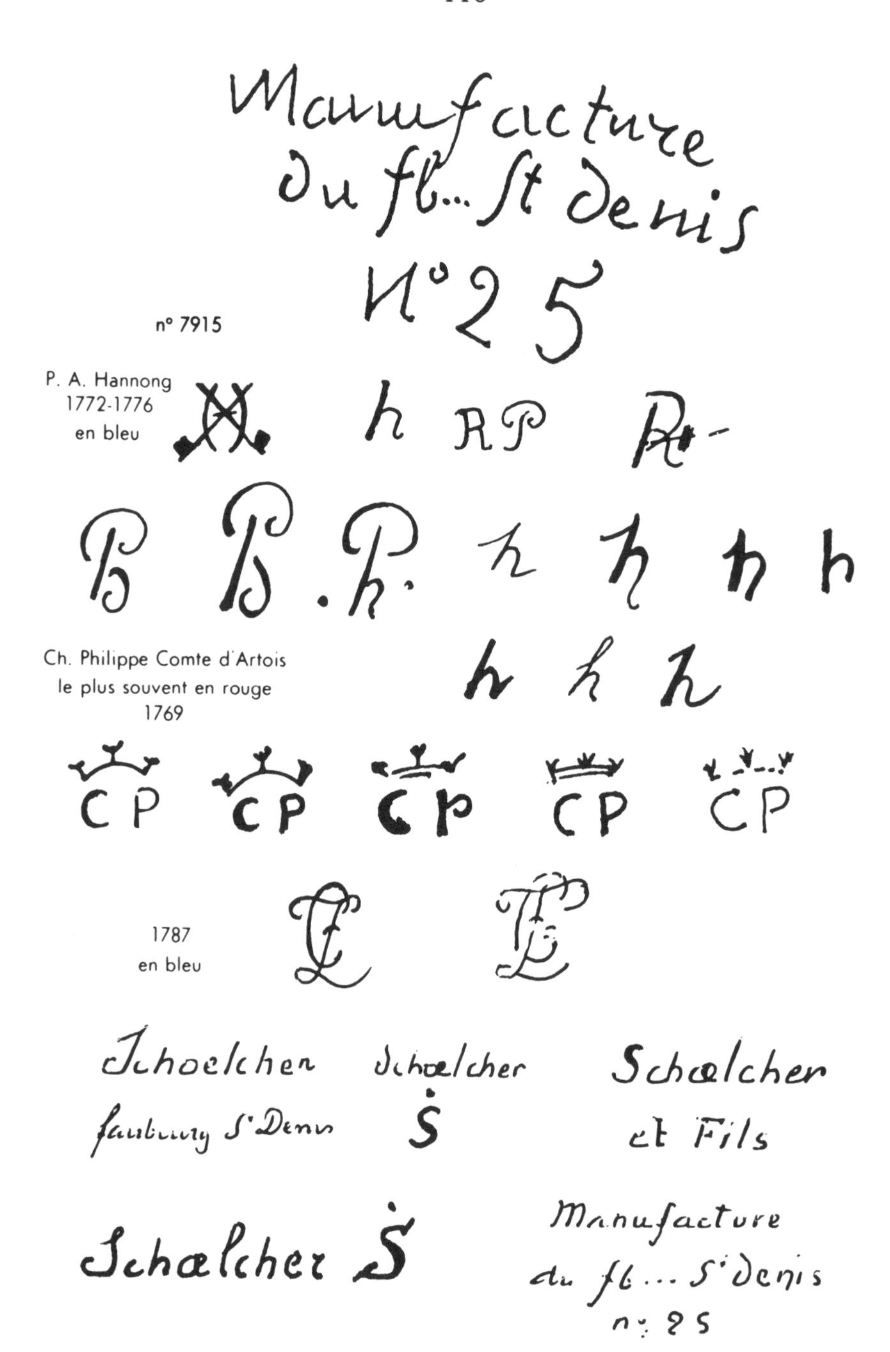
Manufacture
du fb... St denis
N° 25
n° 7915
P. A. Hannong
1772-1776
en bleu
Ch. Philippe Comte d'Artois
le plus souvent en rouge
1769
CP
1787
en bleu
Schoelcher
faubourg St Denis
Schoelcher
Schoelcher
et Fils
Schoelcher
Manufacture
du fb... S^t denis
n° 25
CP

Rue Fontaine-au-Roy
au lieudit La Courtille
appelée aussi Porcelaine allemande

Porcelaine dure, 1771-1840

Profitant de la livraison possible de kaolin par les carrières de Saint-Yrieix, voisines de la carrière royale, Locré de Roissy installe une fabrique en 1771 rue de la Fontaine-au-Roy. Il y travaille consciencieusement et, en 1773, il reçoit le satisfecit du lieutenant général de Police, lui accordant l'autorisation d'ouvrir une manufacture de porcelaine allemande.

Le rapport spécifiait : « Fabrique qui marche le mieux, bonne à conserver. » Peut-on recevoir plus bel éloge? Mais la considération des pouvoirs de police devait se modifier rapidement, car en 1784 il recevait notification des privilèges accordés à Sèvres « sous toutes réserves ».

Grâce au soutien du duc de Berry, l'incident n'eut pas de suites et la production put s'intensifier pour faire de cette maison la plus importante fabrique parisienne de porcelaine dure de l'époque.

Locré avait travaillé en Allemagne; il appliquait des procédés nouveaux, encore inconnus chez nous, lui permettant d'obtenir une pâte très blanche, translucide, dont la qualité lui donnait une sérieuse avance sur ses concurrents. La finesse de sa pâte était telle que l'on pouvait la prendre pour une pâte tendre.

Cette avance ne devait pas durer. Criblé de dettes, Locré est contraint de réduire son activité et, en 1787, il doit céder sa fabrique à Russinger venu de Höchst.

Pendant quinze années, Locré avait produit une porcelaine d'une qualité remarquable.

On pourra noter, par l'examen des pièces qui nous sont présentées dans les musées, que les décors sont non seulement bien dessinés, légers de mouvement, mais aussi exécutés dans des coloris vifs et harmonieux. Une couverte particulièrement fine apporte une glaçure qui en rehausse encore l'éclat.

Souvent des touches d'or donnent du relief au décor. Cet or posé en épaisseur n'a pas terni, même sur les pièces d'usage il est encore à l'heure actuelle pleinement éclatant.

Les formes, le plus souvent empruntées à Sèvres, sont choisies et, si le décor est inspiré par la grande manufacture, ils sont souvent d'un dessin plus nerveux et plus vif de couleur.

Sous la nouvelle direction, la production prendra un autre essor et réalisera des modèles aussi parfaits.

Aidé de Pouyat venu de Limoges, Russinger poursuit ses fabrications. Leur œuvre est certainement celle de maîtres.

Toutefois, il nous faut malheureusement compter les chefs-d'œuvre sortis des ateliers à cette époque.

Les difficultés financières obligent les deux artistes à réduire la production artistique pour ne faire que de la série. Qui dit série dit absence d'art, et comme il faut non seulement vivre mais aussi de l'argent pour régler les débiteurs, ce duo se lance dans la production de séries en grande quantité. Celle-ci est sans soin, la mévente qui s'ensuit augmente les difficultés et provoque la dissolution de l'association.

Russinger reste seul, et, réussissant à s'assurer des appuis financiers, transforme sa fabrique en une grande manufacture. Il entreprend la construction de nouveaux bâtiments, s'équipe d'un outillage plus moderne; il veut du neuf, mais voit trop grand et s'endette, et cette fois doit abandonner définitivement.

Les marques du début son conservées : ce sont généralement des torches ou des flèches croisées, la pointe en bas, celles-ci variant suivant les époques.

Nous les reproduisons dans l'ordre chronologique d'utilisation.

Fabrique de Locré rue de la Courtille

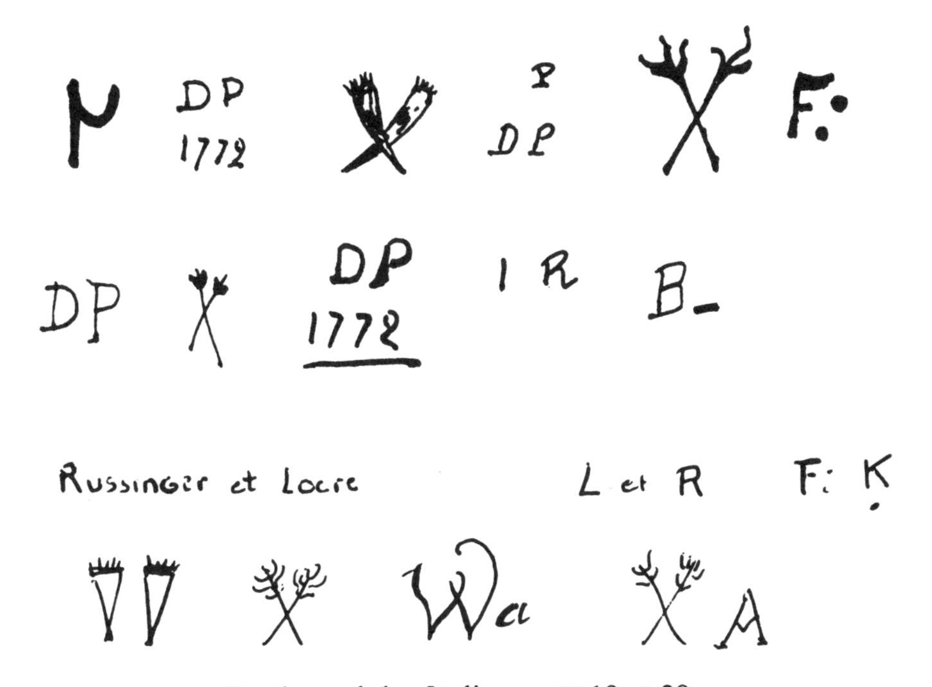

Boulevard des Italiens, nos 19 et 20

Décoration sur porcelaine dure, 1830

Ce n'est qu'un petit magasin de vente de porcelaines décorées, provenant de différentes manufactures, qui anime le n° 20 du boulevard des Italiens.

Un peu plus loin, au n° 132 du boulevard Saint-Denis, se trouve l'atelier de décor. Là les ouvriers se succèdent et ne restent jamais longtemps. Monginot qui dirige cette petite affaire a le privilège d'être admis à la cour de Louis-Philippe. C'est un privilège qui lui procure un grand nombre de commandes. Les émaux sont de qualité, témoin cet encrier de décors vert et bleu supporté par des anges et rehaussé d'or. Une plaque représentant des fleurs dans un vase, les émaux multicolores sont particulièrement soignés.

Cette production effectuée au goût des clients est réalisée souvent avec des armoiries suivant un décor préalablement étudié. Les exécutions sont artistement rendues sur des blancs qui proviennent de Sèvres ou de Limoges.

Chapelle
19 Bd des Italiens
Médaille Expon 1844

Gosse Maillard
Bd italiens N 19

Chapelle Maillard
paris -

Monginot
boulevart des italiens
No 20 a paris

Monginot
20 Boulevart
des Italiens

Rue Montmartre

Décoration - Porcelaine dure, 1803-1812

Les ateliers de décoration sont nombreux à Montmartre en 1803. Un nommé Halley, vraisemblablement sujet anglais, est installé au n° 182 de la rue Montmartre. Il fusionne avec Lebon qui tient également un petit atelier. L'association produit peu, mais l'exécution est honnête : ses pièces, que l'on peut voir au musée de Sèvres, tasses, assiettes, petits vases, reproduisent des motifs Empire, quelques oiseaux, services de fleurs, tous décors qui étaient appréciés à l'époque.

La marque est en rouge ou quelquefois en or.

Au n° 5 du boulevard Montmartre, un autre décorateur est installé. Son existence nous est révélée par la présence au musée de Sèvres d'une tasse et d'une assiette provenant de cet atelier. Ces pièces sont marquées Person (en or).

Au 16, du boulevard Montmartre, le sieur Couderc décorait également; il avait en plus de son atelier un petit magasin où l'on trouvait les porcelaines des autres fabriques.

La marque indique 16, boulevard Montmartre, Couderc Paris.

halley halley halley halley

lebon-halley

Lebon halley
a Paris.

Person

16 Bd Montmartre
COUDERC
PARIS

Rue Notre-Dame-de-Nazareth, n° 8

Porcelaine dure, 1810-1840

L'atelier tenu par André, rue Notre-Dame-de-Nazareth, fut muté dans la rue voisine, au n° 7 de la rue Meslay, et produisit quelques pièces sur commande.

L'assiette que nous avons pu étudier au musée de Sèvres a un décor en or.

La signature est assez importante, elle indique :
André fabricant de porcelaine
Notre-Dame-de-Nazareth, n° 8.

André fabriquand de porcelaine
notre Dame Nazareth N° 8

Rue de la Paix, n° 20

Décoration sur porcelaine dure, 1820

Les quelques pièces de qualité que nous avons pu examiner portant l'indication rue de la Paix nous font un devoir de faire figurer cette petite fabrique dans le présent répertoire.

Nous devrions dire atelier au lieu de petite fabrique, car ce fut simplement un atelier de décoration, et les décorateurs qui venaient de partout signaient leurs œuvres de leur nom à la suite de l'adresse 20, rue de la Paix.

On peut donc rencontrer comme marque les noms de Boyer, de Feuillet, de Hebert, 20, rue de la Paix.

Signalons que certaines pièces, par un acte plein de prétention, portent les deux L enlacés qui sont la marque de Sèvres, avec une lettre au centre. Rien ne peut être confondu ou comparé avec des pièces de Sèvres, ce qui ridiculise quelque peu cette copie de marque.

Au n° 7 puis au 2, de la rue de la Paix, existait également à cette époque (1820) un atelier de décoration dirigé par Rihouet, sis précédemment rue de l'Arbre-Sec. Fournisseur du duc d'Orléans, cet atelier produisit en nombre très limité quelques jolies pièces, notamment un surtout en pâte tendre, puis quelques plats reproduisant les grandes figures de l'époque. Elles sont signées Rihouet ou Lerosey, 11, rue de la Paix.

Palais-Royal

Décoration porcelaine dure, 1802-1839

Sous l'enseigne « L'escalier de cristal », un magasin vend des meubles, des bronzes et de la porcelaine. En arrière-boutique est situé l'atelier de réparation et de décors sur porcelaine. Mme Desarmaux en 1802, Bouvet en 1837, Lahoche et Pannier en 1839, effectuent des modèles pour une clientèle riche et difficile. Leur travail est soigné, mais ce ne sont que des inspirations de Sèvres sur des formes dont ils essayent de conserver l'exclusivité.

Les marques sont assez explicites pour en préciser la provenance.

a l'Escalier
de Cristal

Escalier de cristal
LAHOCHE
Y
PANNIER
PALAIS ROYAL

Lahoche
palais Royal

Desarnaux
à lescalier de
cristal à paris

l Escalier
de Cristal
PARIS

Mme Desarnaux
à lescalier de cristal

Escalier De Cristal
MINTONS

Rue Paradis-Poissonnière, n° 34

Décoration de porcelaine dure, 1830

En 1830, A. Mansard dirige un atelier de décoration sur blancs. Son fils J. Mansard lui succède, puis à sa suite G. Mansard. Ils produisent peu et surtout des copies.

Au n° 28 de la rue

Installée par Gille, marchand de porcelaine, un atelier applique les derniers procédés de décor sur pâte dure. Nous relevons sa présence à l'exposition universelle de Londres en 1851 avec une pièce qui fut particulièrement remarquée. Il est vrai que l'atelier avait un décorateur de talent, Charles Baury. Celui-ci réussira une série de spécimens où s'affirme sa compétence ; il fut produit également dans cet atelier des statuettes et des biscuits qui eurent du succès.

Les marques sont :

Rue Popincourt

Porcelaine dure, 1782-1835

Cette petite fabrique eut son succès vers 1785 grâce à la présence de Nast. Cet artiste qui avait été formé à Vincennes produisit une fois chez lui une porcelaine qui pouvait égaler les meilleures porcelaines du moment.

Désirant développer son affaire, il s'entoura de décorateurs de talent; ainsi put-il produire suffisamment en nombre et en qualité pour arriver à établir une maison qui devint assez importante et qui à vrai dire tint la tête des producteurs de porcelaines de Paris.

Ses fils, formés à ses côtés, lui succéderont. Solidement instruits à son art, ils peuvent continuer sans heurt l'œuvre entreprise.

La production de cette fabrique fut assez importante et variée : vases, services de table, cafetières, soupières, objets de toilette, horlogerie, quelques statuettes ou lustres. Les décors sont soignés, les coloris harmonieux. Toutes les pièces sont signées Nast à Paris.

Signalons qu'au n° 26, rue Popincourt, existait une autre petite fabrique.

Divers propriétaires s'y sont succédé, se spécialisant dans les reproductions de porcelaines de Chine.

La production est peu importante, mais les exemplaires qui nous sont demeurés sont assez soignés pour que cette fabrique mérite de figurer dans notre étude.

C'est en 1797 que débutera le premier propriétaire Dassier, ou d'Acier, qui avait pour marque un cœur. En 1807, Darte arrive comme successeur et en 1825 entrent Discry père et fils. Tous ces propriétaires chercheront à se manifester par une production soignée.

La particularité de cette fabrique réside peut-être dans les procédés employés pour la pose des décors. Maîtres de l'application des réserves, qui apportait une netteté étonnante dans le décor, ils recherchent les difficultés et leur procédé permettra la réalisation d'effets qui, s'ils sont curieux, n'en sont pas moins remarquables.

Les marques :

Nast 1783-1817

NAST
à
Paris

nast a paris par brevet
d'invention

N...
à
Paris

J Lecallé

Nast à paris

MANUF^RE DE PORCELAINE
DU C^EN NAST RUE
DES AMANDIERS D^ON POPINCOURT

nast a Paris par brevet d'invention

NAST

Manuf^re de Porcelaine
du C^en Nast
rue des Amandiers
D^on Popincourt

Nast
à
Paris

58 rue Popincourt

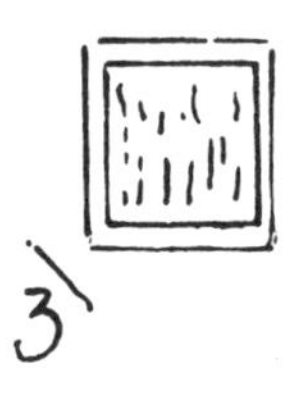

1845

CH MENARD
PARIS
12 Rue de Popincourt

Dante ainé à Paris

Cœur Dacier
1797

Rue de la Roquette

Porcelaine dure, 1773-1774-1778

Il y eut deux fabriques de porcelaine dure rue de la Roquette, l'une en 1773 dirigée par Souroux (rue de la Roquette faubourg Saint-Antoine), l'autre en 1774 à l'hôtel des Arbalétriers, rue de la Roquette (près de la rue de la Contrescarpe) dirigée par Dubois.

Souroux décorait une porcelaine dure avec des émaux très colorés. Les tasses, soucoupes, sucriers, saucières et pots qui nous sont demeurés témoignent d'une grande maîtrise. Ces pièces sont généralement marquées du S (Souroux) en bleu. L'S a été très employé dans les marques de porcelaines pratiquées en bleu ; la confusion peut être faite avec le S de Saint-Cloud ou le S de Schœlcher rue du Faubourg-Saint-Denis.

Parmi les décorateurs de la rue de la Roquette, faubourg Saint-Antoine, il nous faut signaler François Hébert dont l'activité artistique est signalée dans différentes fabriques, notamment à Sèvres, à Saint-Cloud. François Hébert avait épousé Marie-Anne Chicaneau, fille de Jean-Baptiste Chicaneau, et s'était imposé comme habile décorateur.

La fabrique de Vincent Dubois, installée d'abord à l'hôtel des Arbalétriers, rue de la Roquette, puis dans l'immeuble voisin, avait pour enseigne « Aux trois Levrettes ». Cette appellation aurait pu être illustrée pour servir de marque à cette fabrique, il n'en fut rien et les flèches des arbalétriers furent adoptées. Installée en 1774, cette petite fabrique produisit quelques services de table à bord or, des tasses, plateaux, cabarets, écuelles de formes agréables. Le décor utilise souvent les fleurs au naturel, les paysages, guirlandes et rinceaux généralement rehaussés d'or. Ces tons sont assez calmes mais harmonieusement composés.

Indiquons que les deux flèches croisées de la rue de la Roquette ont toujours la pointe en haut.

Comparer avec les flèches et flambeaux de Locré (rue Fontaine-au-Roi) dont les pointes sont tournées vers le bas.

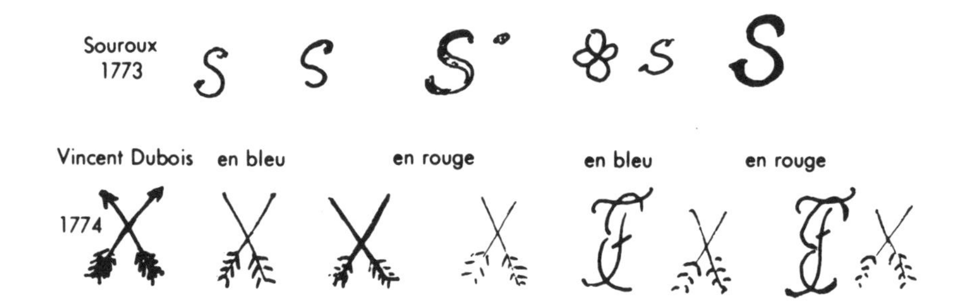

30, rue de la Roquette

Fondée en 1795 par les frères Darte, elle est sise à la fois au 5 de la rue de Charonne, au 30, rue de la Roquette, au Faubourg Saint-Antoine et au Palais Royal. Ce sont de nombreux points de vente, qui prouvent la prospérité de cette petite fabrique; car les frères Darte sont des décorateurs avertis, habiles, qui se spécialisent rapidement dans la décoration des blancs. Leur exécution magnifique est très recherchée.

En exposant un peu partout, ils remportent de nombreux prix qui les distinguent des concurrents et leur procurent quantité de commandes.

Les frères Darte signent généralement de leur nom.

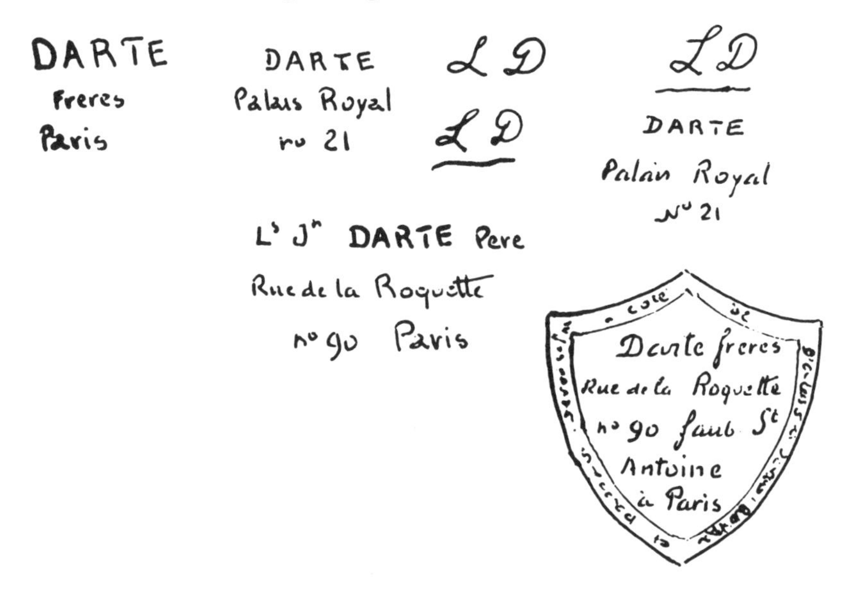

Rue Taranne

Décoration porcelaine dure, 1763

Vers 1763, un atelier de décoration s'était installé rue Taranne; la petite production est consciencieuse et les quelques pièces retrouvées, qui eurent les honneurs du choix de l'empereur Napoléon, nous invitent à mentionner les décorateurs de cet atelier.

Des assiettes qui reproduisent les uniformes de l'armée sont exécutées pour le maréchal Soult.

Le semis de rocaille rehaussé d'or est également produit abondamment.

Desmont fut le principal signataire de ces pièces, puis Desavis et finalement Leroux. C'est du bon Paris.

3 rue Taranne

Desmont
rue Taranne 3
Paris

DEMONT
R. Taranne
PARIS

Desmont
rue Taranne
Paris 3

Leroux
rue Taranne 3

Rue de la Ville-l'Évêque

Pâte tendre, 1711-1766

Cette fabrique, dépendante de la manufacture de Saint-Cloud, était dirigée par la veuve de Pierre Chicaneau, sous son patronyme de Marie Moreau, mais fonctionnait sous les mêmes autorisations. Elle fut toutefois pendant peu de temps autonome pour redevenir propriété de la maison-mère de Saint-Cloud.

En 1727, la fabrique fut cédée à François Chicaneau, cousin de Pierre.

L'affaire reprend à nouveau son indépendance et fonctionne sous l'enseigne de « Manufacture Royale » avec trois fleurs de lys pour sigle. La fabrique prit alors de l'importance avec une production très remarquée. Celle-ci tout au moins à ses débuts est similaire aux produits de Saint-Cloud; c'est une pâte tendre avec les mêmes formules et les résultats obtenus sont magnifiques.

Les décors sont bien dessinés, les émaux posés avec précision sur des pâtes d'un blanc laiteux des plus attrayants. Les couleurs pâles employées pourraient être confondues avec les pièces de Chantilly, mais les décors sont plus personnels.

La fabrique de la rue de la Ville-l'Évêque arrêtera sa production en même temps que cessait celle de Saint-Cloud en 1766.

Jusqu'en 1731, la marque C M est la plus utilisée; elle figure généralement en bleu (grand feu) en surface.

Jamais en creux.

Après 1743, la signature de Trou figure en dessous, avec le C. M.

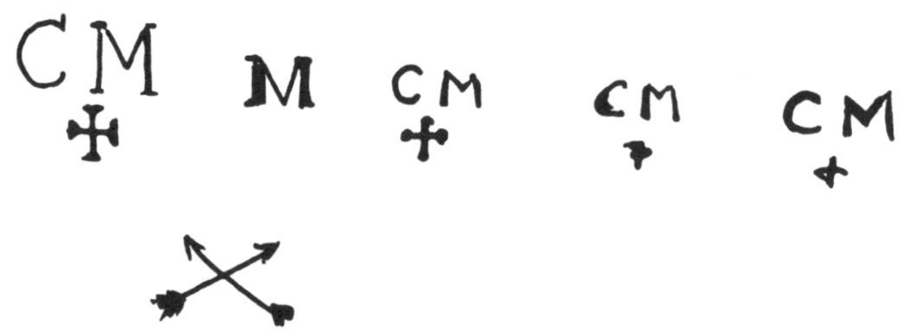

Petite rue Saint-Gilles
Boulevard Saint-Antoine - boulevard Poissonnière

Porcelaine dure, 1785-1867

Les décorateurs de porcelaine semblent ne faire qu'une grande famille, car on les retrouve tantôt chez les uns, tantôt chez les autres pour des engagements momentanés, ou en association de courte durée. Mais ce grand nombre d'itinérants trouble un peu l'attribution de leur marque à une fabrique déterminée.

La rue Saint-Gilles qui, avec le boulevard Saint-Antoine puis le boulevard Poissonnière ne font qu'une seule et même fabrique, est dirigée en 1785 par Honoré, conseiller du Roi.

Honoré s'adjoint Dagoty, spécialiste qui lui apporte sa technique. Celui-ci, rompu dans le métier, fabriquait déjà à la Seynie une bonne porcelaine dure. Il applique donc ses procédés rue Saint-Gilles en améliorant sans cesse sa pratique.

En 1819, un compte rendu d'exposition citait la fabrique comme « une des premières de France ». Les fils de Dagoty,

Édouard et Théodore, continueront sur la lancée du père sous l'enseigne de « Manufacture de Madame la Duchesse d'Angoulême ». Les blancs seront fabriqués à Champroux et décorés à Paris. Leplé venant de la rue du Bac apportera ses décors.

Services, assiettes, pots, tasses, plateaux, présentoirs, quelques statuettes, un grand nombre d'articles porteront la marque, l'adresse du moment et le nom du décorateur.

La fabrique est honnête, consciencieuse, la pâte semble être de plus grande qualité que les décors qui sont classiques, généralement inspirés de Sèvres; quelques motifs en relief, médaillons, imitation de marbre, sont parmi les nombreuses fantaisies exécutées par cette petite fabrique.

Les marques sont nombreuses, d'abord la vignette, puis la la signature du décorateur inscrite, soit en rouge, soit en noir, ou en creux garni d'or.

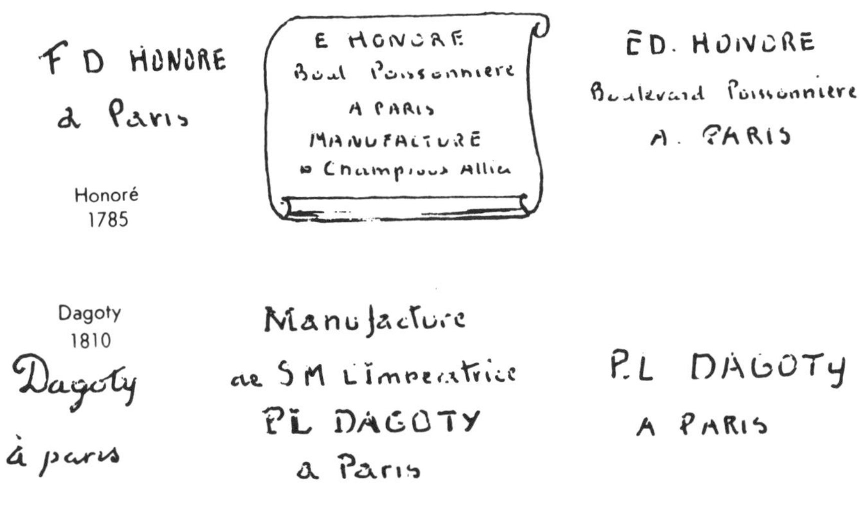

Dagoty 1816

Mure de MADAME
Duchesse d'Angoulême
Dagoty & Honore
PARIS

Manufacture
de S M Imperatrice
P L DAGOTY
A PARIS

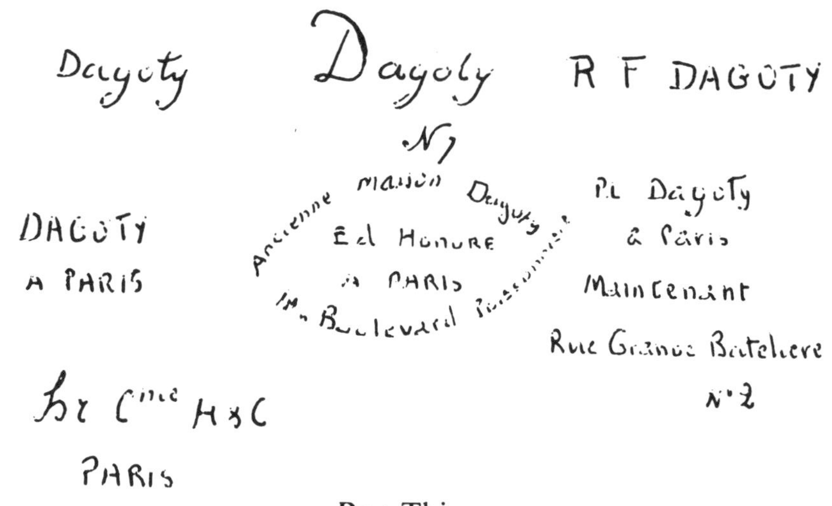

Rue Thiroux

Porcelaine dure, 1775-1864

Manufacture de Porcelaine de la Reine Marie-Antoinette.

Cette fabrique dont la production fut particulièrement soignée date de 1775. Elle fut fondée par André Lebœuf qui, sous la protection du comte d'Artois puis de la reine Marie-Antoinette, développa la fabrication d'une porcelaine dure qui fut très appréciée.

Malgré ces puissantes protections, la fabrique, comme celle de Clignancourt, reçut la visite de la police en 1779, avec sommation d'avoir à cesser l'application des ors (privilège exclusif de Sèvres). Les réactions furent, dit-on, assez bruyantes; nous ne pensons pas que le ménage royal en fut troublé pour cela; toutefois, le calme revenu, une production magnifique s'ensuivit. Quoique appelée manufacture, cette « fabrique » ne produisait pas ses blancs mais les achetait généralement à Limoges, où elle bénéficiait d'une priorité dans un choix de formes très variées.

Inspiré des modèles de Sèvres, les décors apposés sont très soignés, presque mécaniques. La précision des dessins, la finesse des fleurs pourraient laisser croire à des décors imprimés, ce qui dénote une très grande habileté qui place cette production parmi les meilleures porcelaines dites de Paris.

Les marques sont nombreuses nous les indiquons ci-dessous

Sur une tasse figurant au musée de Sèvres, on peut remarquer deux colombes attachées l'une à l'autre par un ruban; elles semblent illustrer (deux siècles à l'avance) la sortie de deux cosmonautes hors de leur capsule.

En dehors de toutes les fabriques citées, Paris abritait quantité de petits décorateurs en chambre, dont l'existence était éphémère. La plupart se disaient fabricants et bien peu signaient de leur nom.

Leur place dans le vieux Paris n'est pas sans apporter quelques confusions, d'autant que bien souvent leurs œuvres sont acceptables. Nombre de ces décorateurs avaient travaillé dans des manufactures ou chez des décorateurs réputés et avaient acquis un peu de métier.

Nous citons quelques-uns de ces centres de décoration non étudiés.

Passy, Belleville, Vaugirard, Rue de Reuilly, Quai de la Tournelle, Rue de Clichy, Rue des Récollets, Rue Neuve-des-Capucines et nous en passons...

MARQUES FIGURATIVES
ET
SIGNATURES

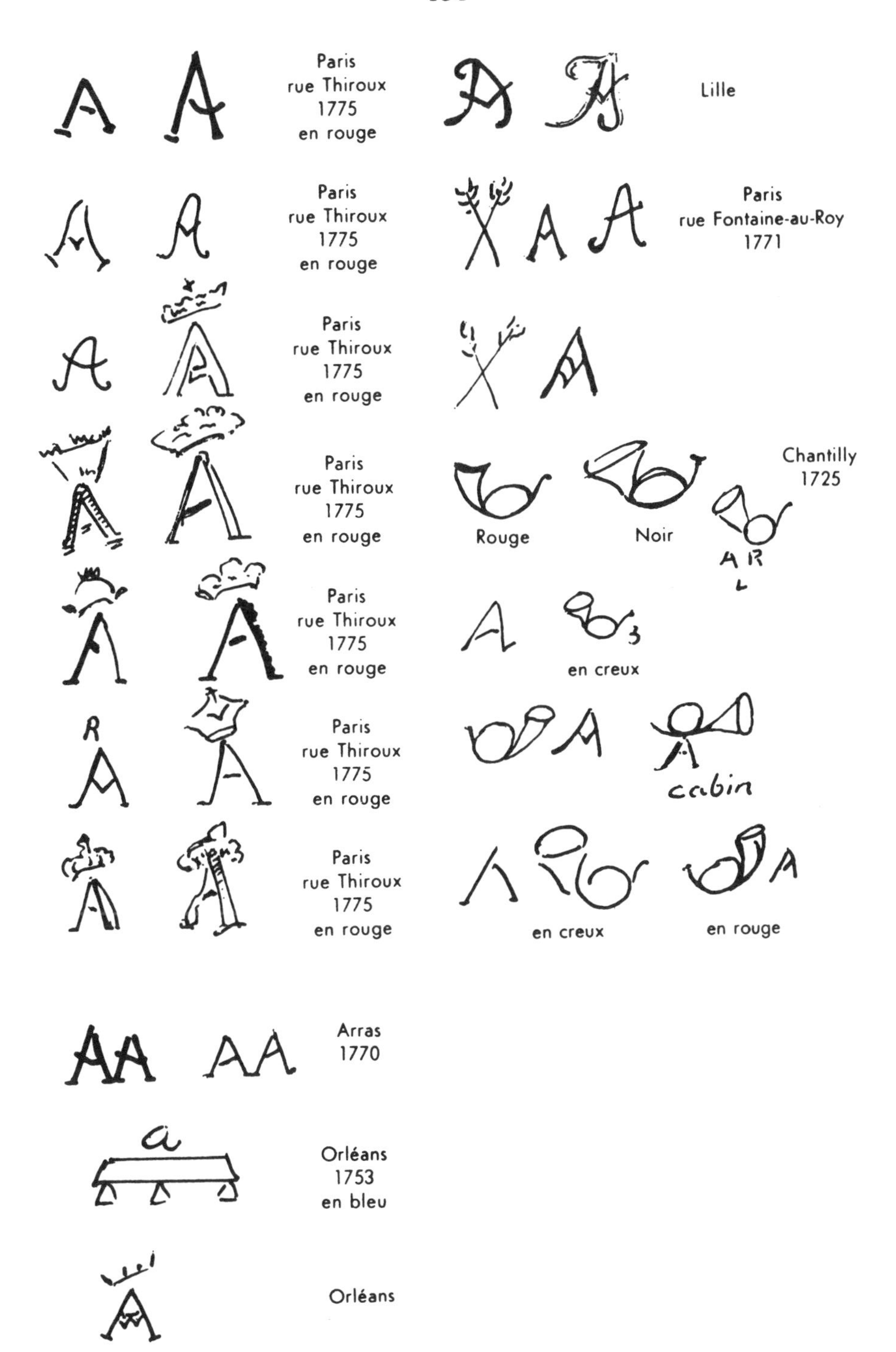
Paris
rue Thiroux
1775
en rouge
Lille
Paris
rue Thiroux
1775
en rouge
Paris
rue Fontaine-au-Roy
1771
Paris
rue Thiroux
1775
en rouge
Paris
rue Thiroux
1775
en rouge
Chantilly
1725
Rouge
Noir
A R
L
Paris
rue Thiroux
1775
en rouge
en creux
Paris
rue Thiroux
1775
en rouge
cabin
Paris
rue Thiroux
1775
en rouge
en creux
en rouge
Arras
1770
Orléans
1753
en bleu
Orléans

Sèvres-divers décorateurs
Barie
décorateur

Sèvres
Bonnuit
décorateur

Sèvres
Bellet
décorateur

Blanchard
décorateur

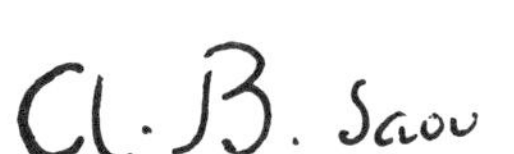

Drome
décorateur
1844

Sèvres
Couraget
Damousse
décorateur

Paris
rue de Bondy
1780

Paris
rue de Bondy
1780

Paris
rue de Bondy
1780

Paris
rue de Bondy
1780

Limoges

Paris
rue
de Crussol

A. DECK

Paris
Deck

Paris
rue du Gros Caillou

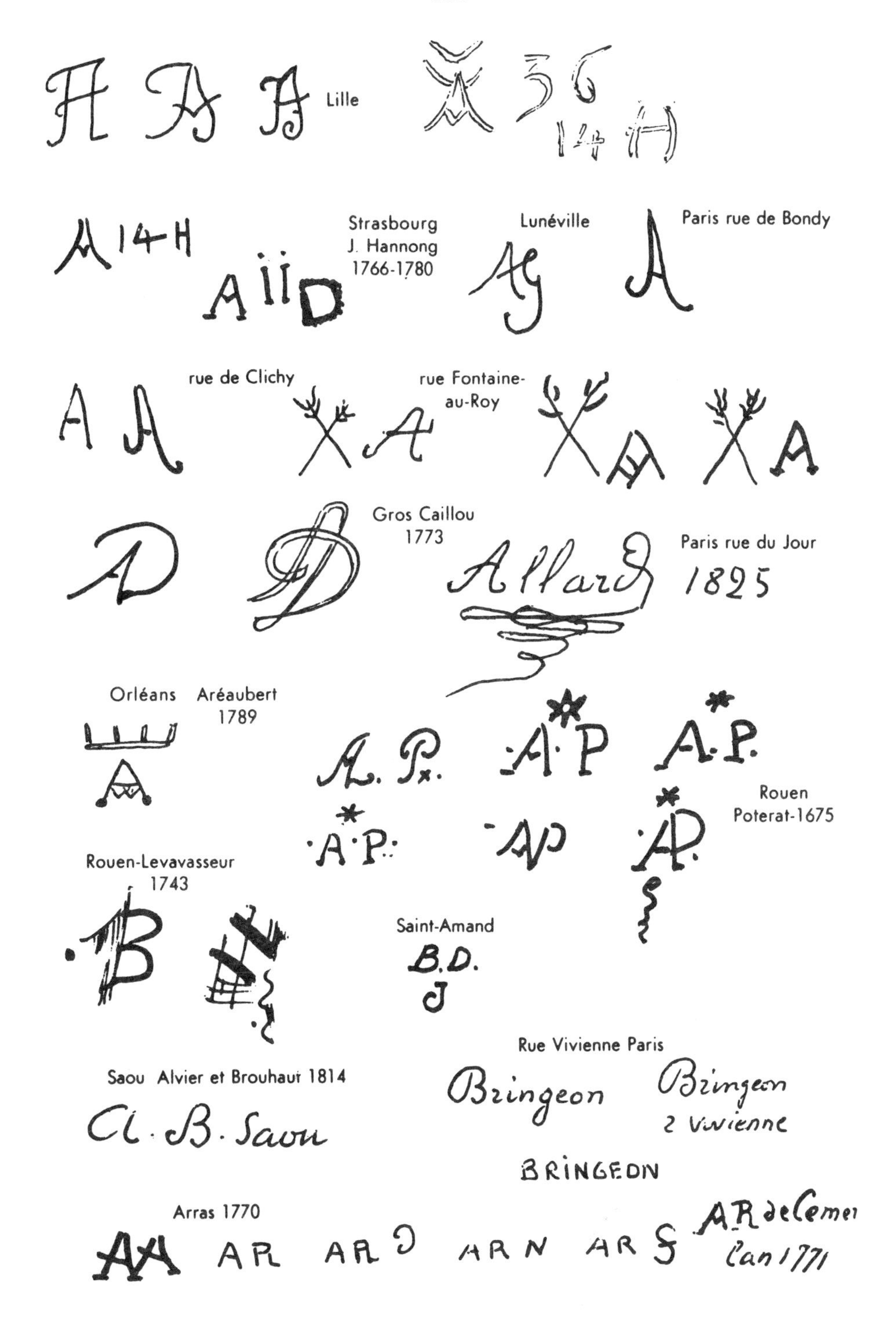
Lille
Strasbourg
J. Hannong
1766-1780
Lunéville
Paris rue de Bondy
rue de Clichy
rue Fontaine-
au-Roy
Gros Caillou
1773
Allard
Paris rue du Jour
1825
Orléans
Aréaubert
1789
Rouen
Poterat-1675
Rouen-Levavasseur
1743
Saint-Amand
B.D.
Rue Vivienne Paris
Saou Alvier et Brouhaut 1814
Bringeon
Bringeon
2 vivienne
BRINGEON
Arras 1770

B B	Boissette 1778
B B	Boissette noir or ou bleu
B B	Paris Clignancourt
B B	Sèvres Barrat-Bavre décorateurs Arbonas (Rhône)
B	Arbonas (Rhône)
B	Saint-Cloud 1677
B	Paris rue Amelot 1786
	Paris Clignancourt 1771 en rouge
	Paris Clignancourt 1771 en rouge
B	Paris rue Fontaine-au-Roy
BARRIAT B	Sèvres Barriat décorateur
BAIGNOL Fabricant à St Yrieux	La Seynie 1774
B Bour	Mennecy-Villeroy 1734
B C . P 9	Paris rue de Crussol
	Niderviller
B D P	Paris rue Fontaine-au-Roy 1771
Bernon Rue de l'Arbre Sec	Fontainebleau
B f	Sèvres Boulernier décorateur

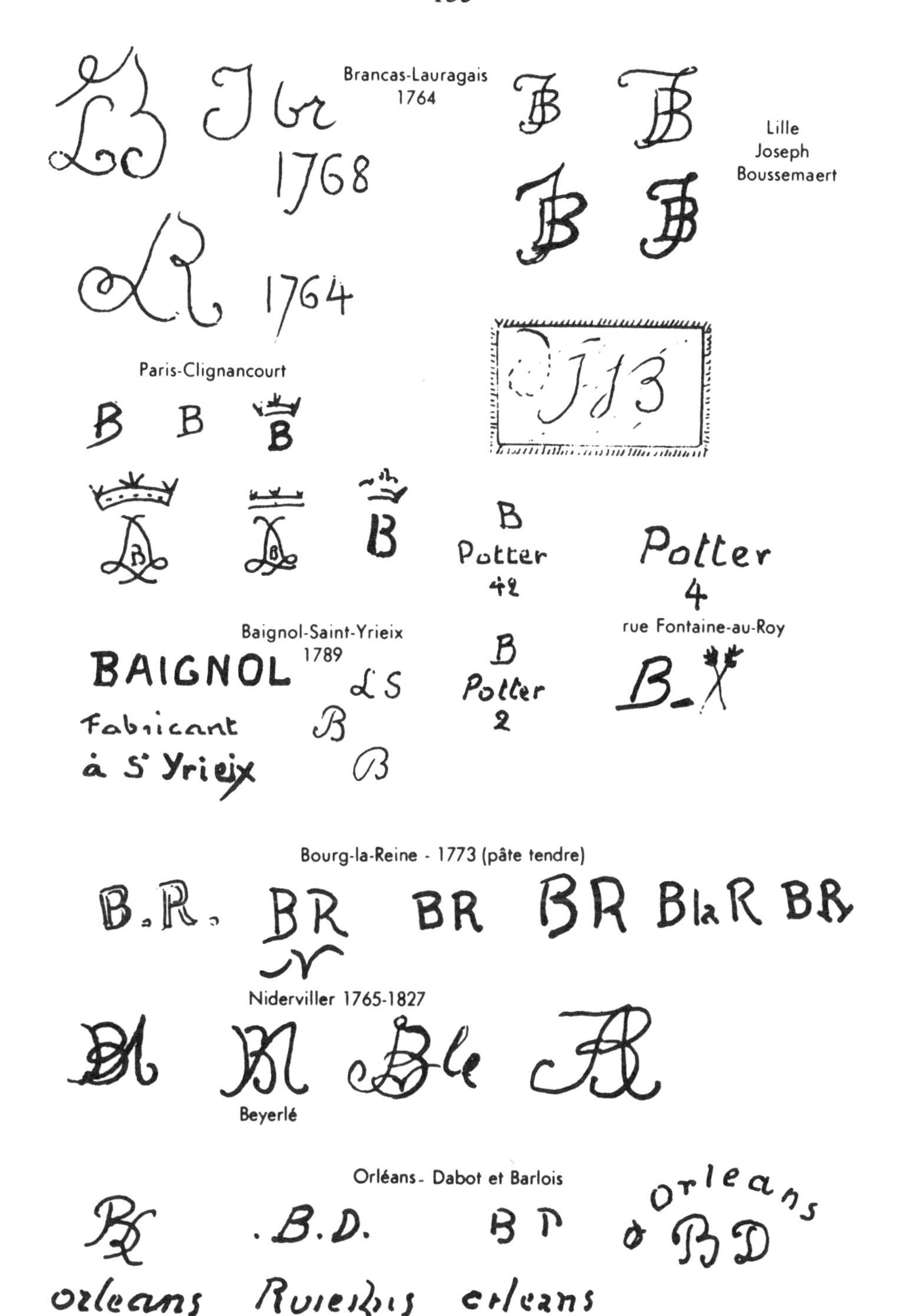
Brancas-Lauragais
1764
1768
1764
Lille
Joseph
Boussemaert
Paris-Clignancourt
B
Potter
42
Potter
4
Baignol-Saint-Yrieix
1789
rue Fontaine-au-Roy
BAIGNOL
Fabicant
à St Yrieix
B
Potter
2
Bourg-la-Reine - 1773 (pâte tendre)
B.R.
BR
BR
BR
BlaR
BR
Niderviller 1765-1827
Beyerlé
Orléans - Dabot et Barlois
orleans
.B.D.
BP
orleans
Orleans
BD

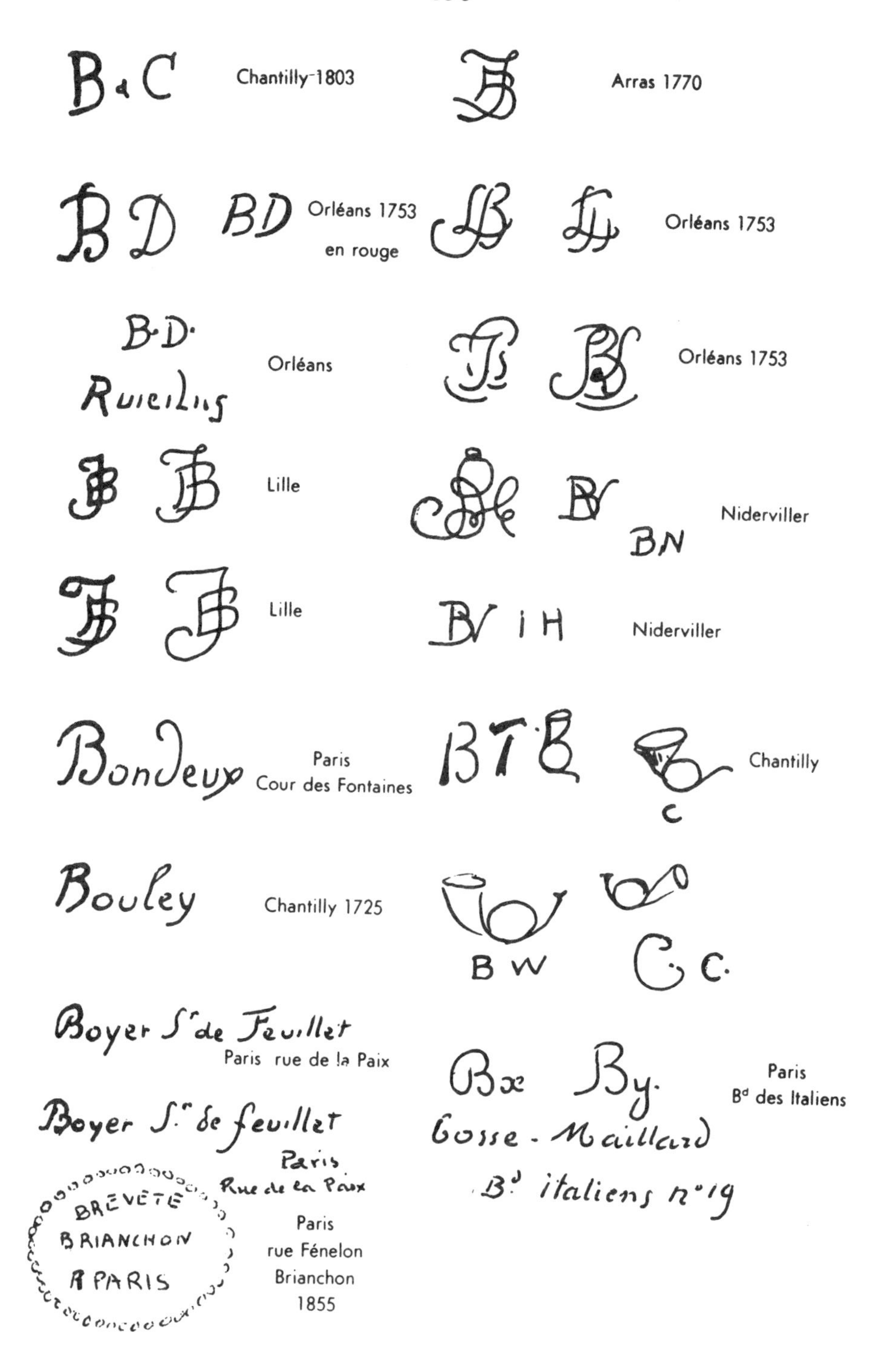
B & C
Chantilly 1803
Arras 1770
BD
BD
Orléans 1753
en rouge
Orléans 1753
B·D·
Rueilus
Orléans
Orléans 1753
Lille
BV
BN
Niderviller
Lille
BV I H
Niderviller
Bondeux
Paris
Cour des Fontaines
BTB
C
Chantilly
Bouley
Chantilly 1725
B W
C C.
Boyer Sr de Feuillet
Paris rue de la Paix
Bx By.
Paris
Bd des Italiens
Boyer Sr de feuillet
Gosse - Maillard
Paris
Rue de la Paix
Bd italiens n° 19
BREVETÉ
BRIANCHON
A PARIS
Paris
rue Fénelon
Brianchon
1855

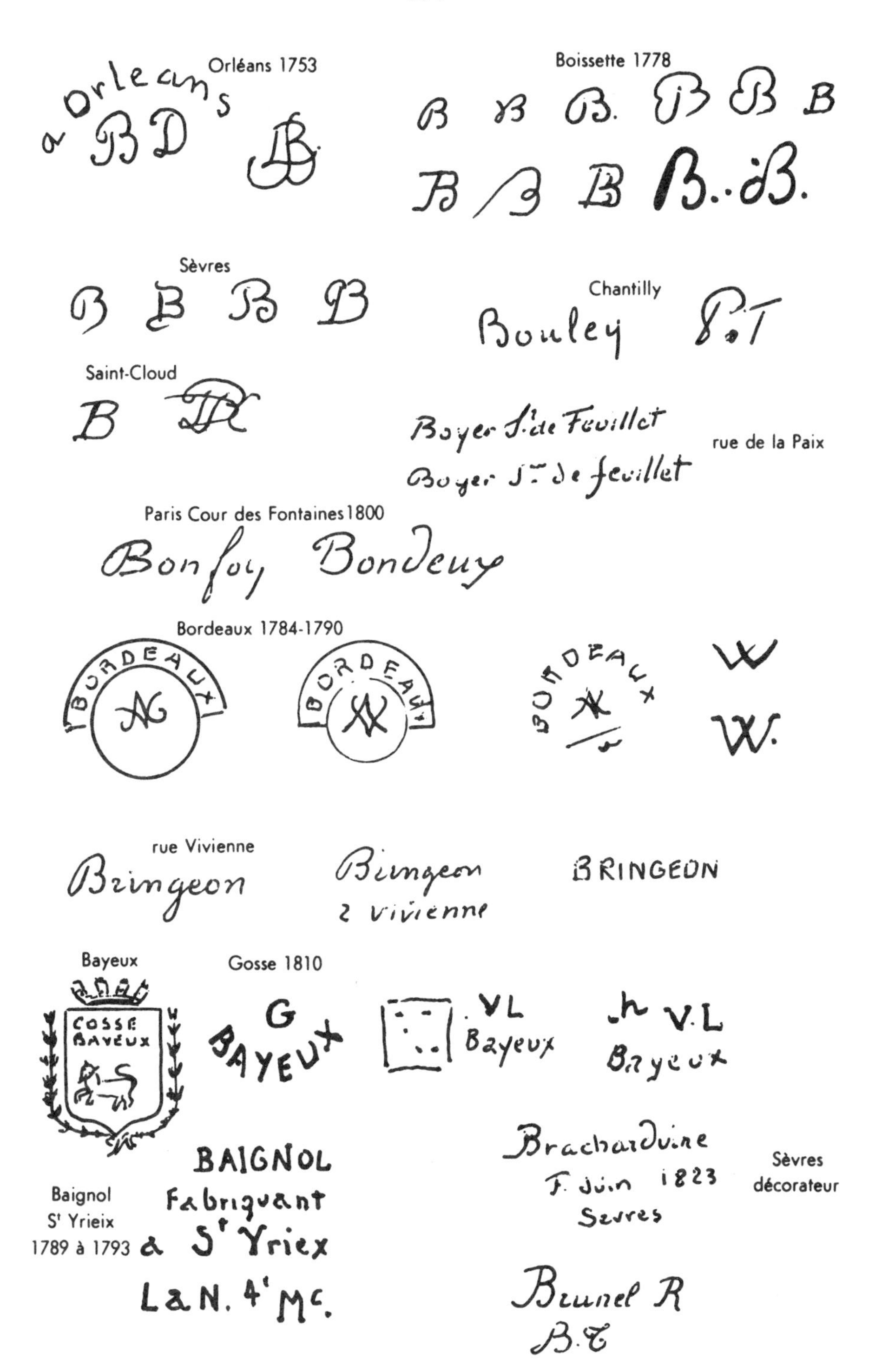
Orléans 1753
a Orleans
BD
Boissette 1778
Sèvres
Chantilly
Bouley
Saint-Cloud
Boyer S.de Feuillet
Boyer S. de feuillet
rue de la Paix
Paris Cour des Fontaines 1800
Bonjoy
Bondeux
Bordeaux 1784-1790
BORDEAUX
BORDEAUX
BORDEAUX
rue Vivienne
Bringeon
Bringeon
2 vivienne
BRINGEON
Bayeux
Gosse 1810
COSSE BAYEUX
G
BAYEUX
VL
Bayeux
V.L
Bayeux
BAIGNOL
Fabriquant
à St Yriex
LaN. 4e Mc.
Baignol
St Yrieix
1789 à 1793
Brachardvine
F. Juin 1823
Sevres
Sèvres
décorateur
Brunel R
B.C

C.P. crepy Crépy-en-Valois 1762
D.C.P. DCO

16 Bd Montmartre COUDERC PARIS — Paris Boulevard Montmartre

Coustaut 13 prairial l'an 3me — TDL Coustaut — Coustaut — Gouslaut 1782 — Niderviller 1765

CP CP — Paris rue du Faubourg St Denis

TERRE DE LORRAINE — COUF — Niderviller 1765-1827

CP 1787 — Chantilly 1787

La Seynie 1774-1855

CR — Marseille

CYFFLE A LUNEVILLE S — Lunéville

CREIL MEDAILLE D'OR 1834 CREIL — Creil 1819

Lunéville

CYFFLE A LUNEVILLE R — Lunéville 1769-1780

D D D+ D — St Cloud 1677-1766
D X D+.

D.I. ANTOINE FAIT — Lunéville
TERRE DE LORRAINE
Mi

D B DP — Paris rue Fontaine-au-Roy

D D.U. D V U V — Mennecy Villeroy

D D — Orléans 1753-1812

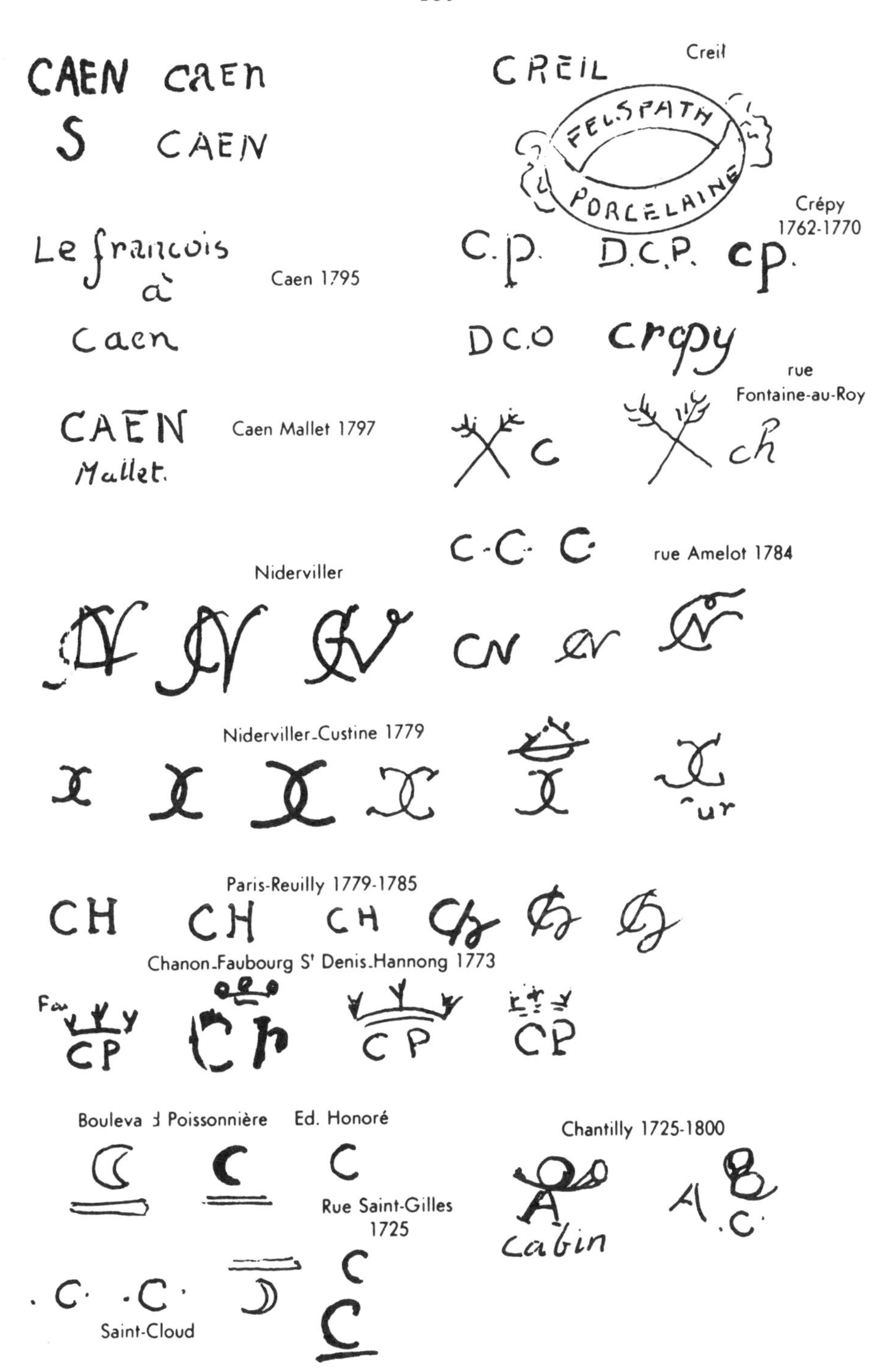
CAEN CAEN
S CAEN
Le françois à Caen
Caen 1795
CAEN Mallet.
Caen Mallet 1797
CREIL
Creil
FELSPATH PORCELAINE
Crépy 1762-1770
C.P. D.C.P. CP.
DCO Crepy
rue Fontaine-au-Roy
C
ch
C.C. C.
rue Amelot 1784
Niderviller
CN
Niderviller-Custine 1779
Paris-Reuilly 1779-1785
CH CH CH
Chanon-Faubourg St Denis-Hannong 1773
CP CP CP CP
Bouleva d Poissonnière
Ed. Honoré
C
Rue Saint-Gilles 1725
Chantilly 1725-1800
A
cabin
A. B. C.
.C. .C.
Saint-Cloud
C
C

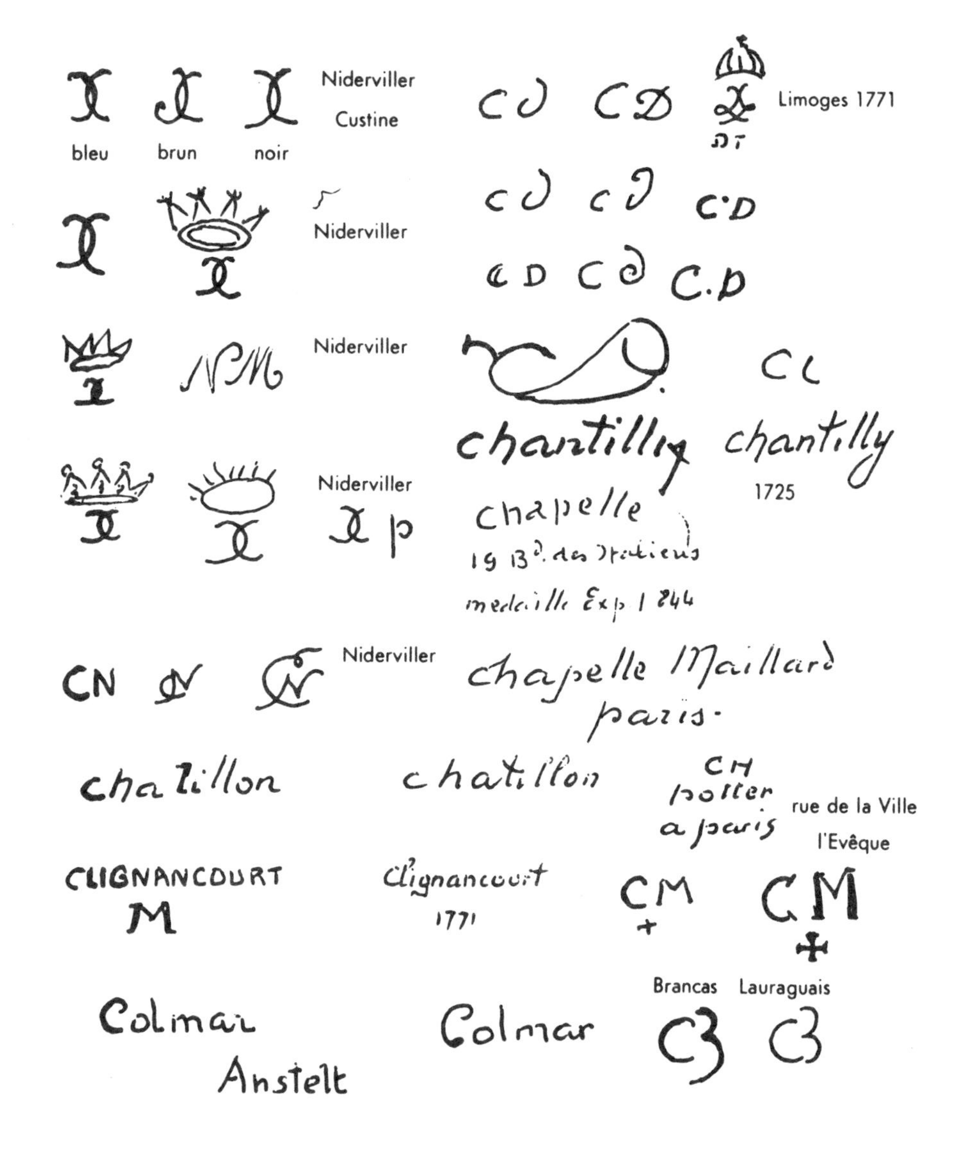
Niderviller
Custine
bleu
brun
noir
Limoges 1771
Niderviller
Niderviller
Niderviller
Niderviller
CN
chantilly
chantilly
1725
chapelle
19 Bd. des Italiens
medaille Exp 1844
chapelle Maillard
paris
chatillon
chatillon
CH
potter
a paris
rue de la Ville
l'Evêque
CLIGNANCOURT
M
Clignancourt
1771
CM
CM
Brancas
Lauraguais
Colmar
Anstelt
Colmar

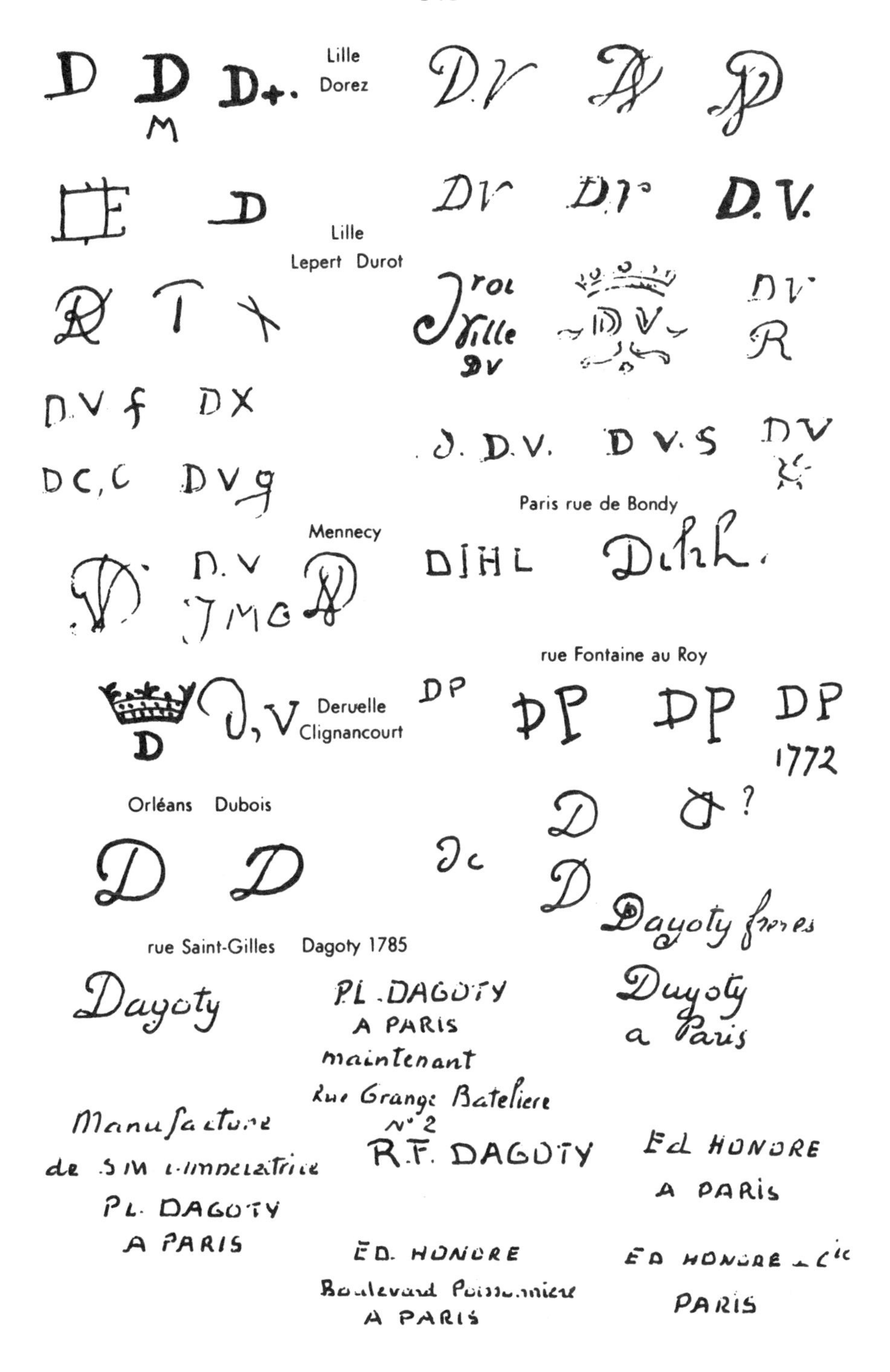
Lille
Dorez
Lille
Lepert Durot
Mennecy
Paris rue de Bondy
DIHL
Dihl
rue Fontaine au Roy
DP
DP
DP
DP
1772
Deruelle
Clignancourt
Orléans Dubois
rue Saint-Gilles Dagoty 1785
Dagoty frères
Dagoty
P.L. DAGOTY
A PARIS
maintenant
Rue Grange Bateliere
N° 2
Dagoty
a Paris
R.F. DAGOTY
PL. DAGOTY
A PARIS
Ed HONORE
A PARIS
ED. HONORE
Boulevard Poissonniere
A PARIS
PARIS

DEPREZ
Rue des Recollets
A PARIS

Paris
rue des Récollets

DESPREZ
Rue des Recollets
n° 2 à Paris

DEPREZ

DI: ANTOINE
FAIT

Lunéville 1769-1780

Paris
Passage du Jeu de Boule

DF

A SEVRES DURE
R 1900 F

Paris rue de Bondy
DIHL
Dihl
Dihl

Lille
ESC

Lille 1784
DT

RF
DUREZ
A
SEVRES
1902

Do

Nantes 1800-1808

DV
DV

Mennecy 1734-1773

DP
1772

Paris
rue Fontaine au Roy

D.V

DV Px
DV S DV
R
DV

DP SC D

D V BA
Jrol
Ville

DJV DVg JMG
Mennecy

D R
D:R D

Chantilly

SX
SX
Sceaux 1749-1784

D D Niderviller

Mennecy
DCP DCU D DV

rue de Bondy
Dastin DASTIN
or rouge

DENUELLE
A PARIS

DENUELLE
rue Crussol à Paris

rue Coquillère
Deroche
R. JJ Rousseau
PARIS

Deroche
T

quai de la Cité
Duhamel

Duban 1800

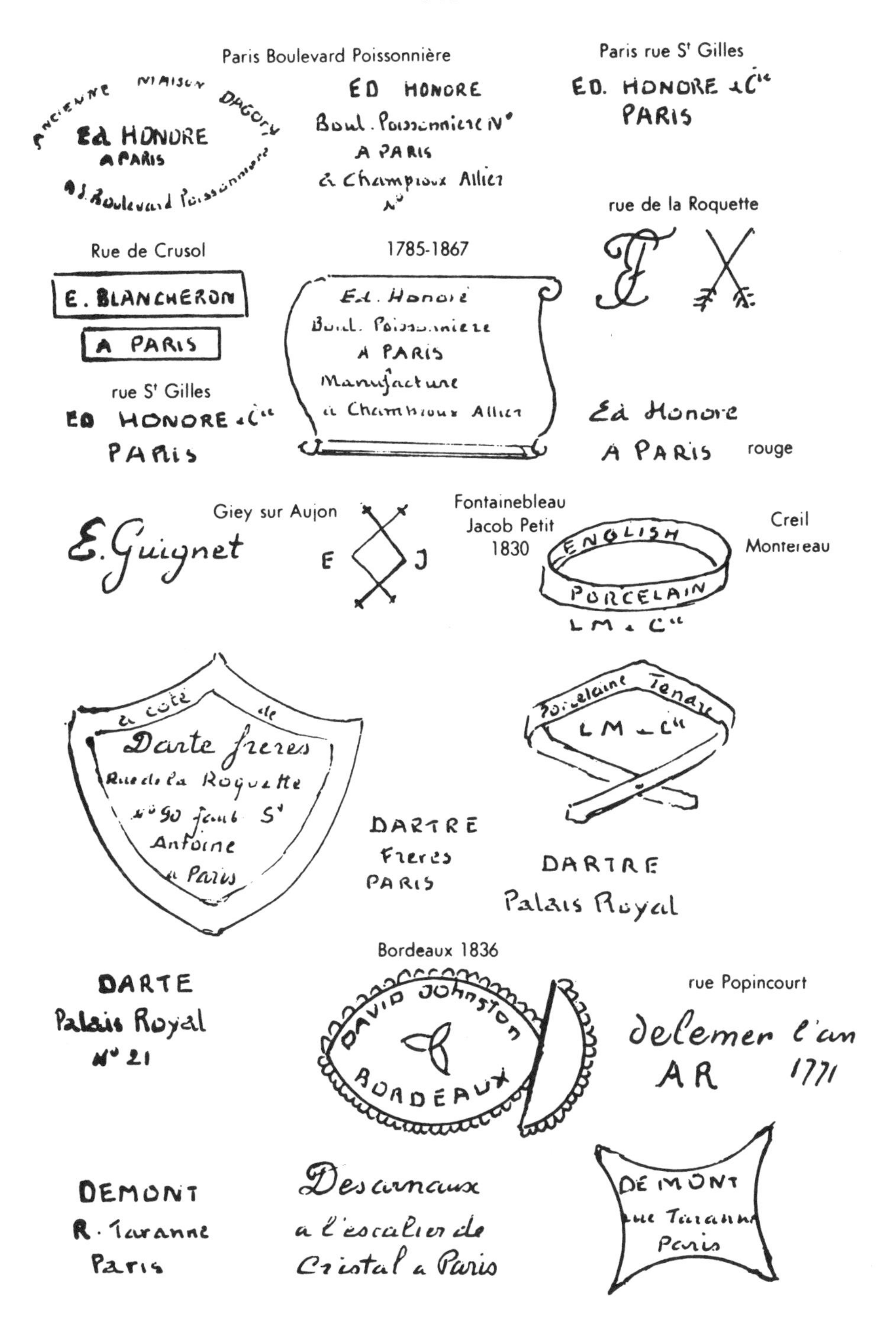

Paris Boulevard Poissonnière
Paris rue St Gilles
ANCIENNE MAISON DAGOTY
Ed HONORE
A PARIS
Boulevard Poissonnière
ED HONORE
Boul. Poissonnière N°
A PARIS
& Champroux Allier
ED. HONORE & Cie
PARIS
rue de la Roquette
Rue de Crusol
1785-1867
E. BLANCHERON
A PARIS
Ed. Honoré
Boul. Poissonnière
A PARIS
Manufacture
à Champroux Allier
rue St Gilles
ED HONORE & Cie
PARIS
Ed Honore
A PARIS
rouge
E. Guignet
Giey sur Aujon
E J
Fontainebleau
Jacob Petit
1830
Creil
Montereau
ENGLISH
PORCELAIN
LM & Cie
à coté de
Darte freres
Rue de la Roquette
N° 90 faub St Antoine
à Paris
Porcelaine Tendre
LM & Cie
DARTRE
Freres
PARIS
DARTRE
Palais Royal
Bordeaux 1836
DARTE
Palais Royal
N° 21
DAVID JOHNSTON
BORDEAUX
rue Popincourt
delemer l'an
AR 1771
DEMONT
R. Taranne
Paris
Descarnaux
a l'escalier de
Cristal a Paris
DEMONT
rue Taranne
Paris

Paris rue de Crussol

.E Lille E B EB EB

Paris rue Saint-Gilles 1785

Ed Honore
à PARIS

Ed HONORE
A PARIS
Boulevard Poissonnière

ancienne Maison Dagoty
Ed HONORE
A PARIS
11 Boulevard Poissonnière

Etiolles Pellevé 1768-69

Etiolle
1768 3
Pellevè

Etiolles 9bre 1770
. D. Pelleve
P

Etiolles 1770
Pellevé

Etiolles
1769 MP

Etiolle
1768

Fontainebleau

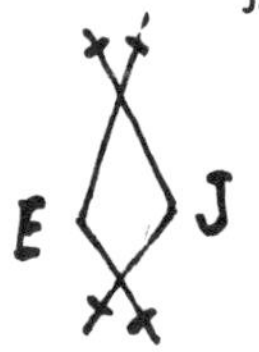

Jacob Petit 1830

E J

E.J.

Escalier de Cristal
MIMTONS

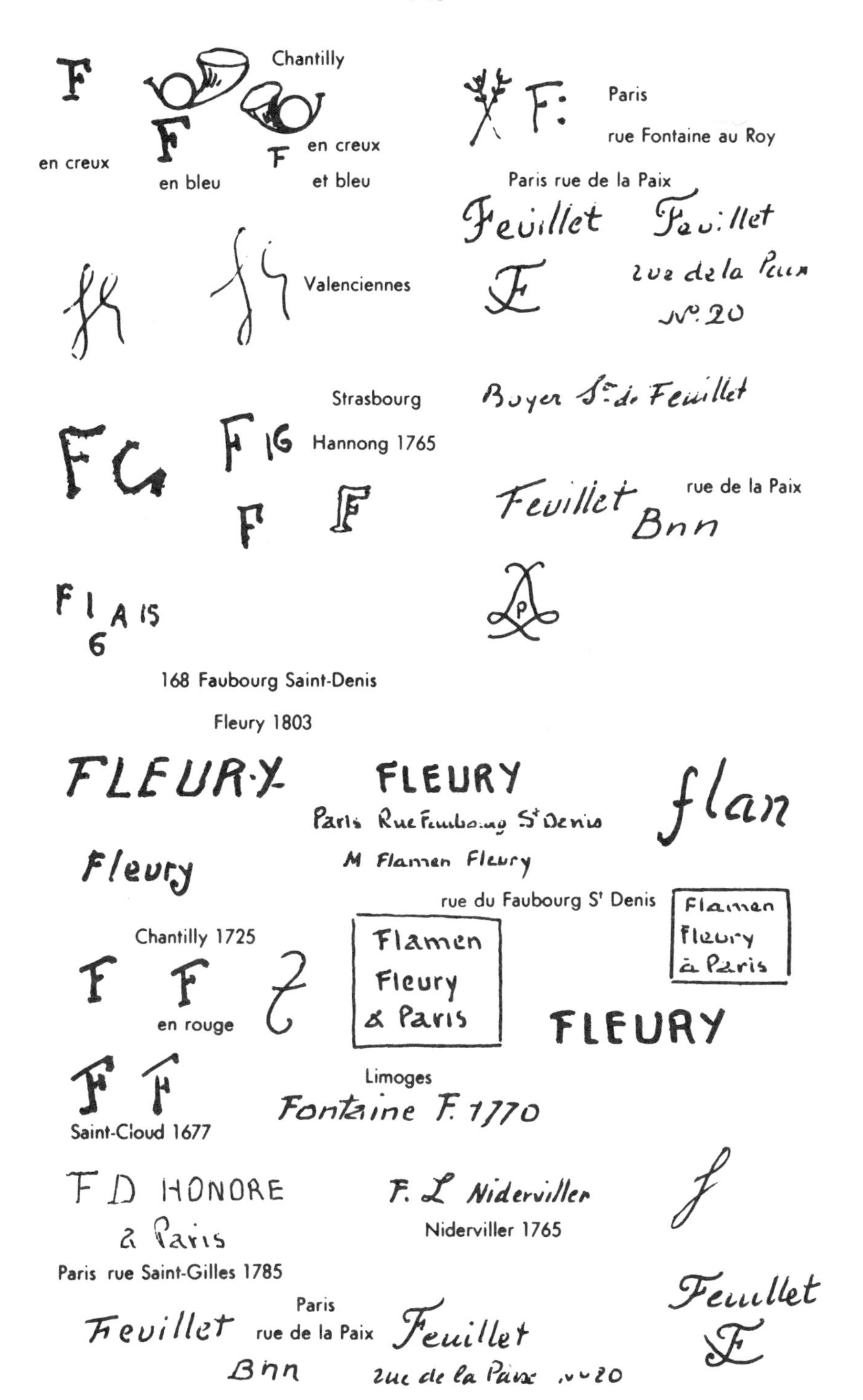
Chantilly
en creux
en bleu
en creux
et bleu
Paris
rue Fontaine au Roy
Paris rue de la Paix
Feuillet
Valenciennes
Strasbourg
Hannong 1765
rue de la Paix
168 Faubourg Saint-Denis
Fleury 1803
FLEURY
Paris Rue Faubourg St Denis
M Flamen Fleury
rue du Faubourg St Denis
Flamen
Fleury
à Paris
Chantilly 1725
en rouge
Limoges
Fontaine F. 1770
Saint-Cloud 1677
F D HONORE
à Paris
F. L. Niderviller
Niderviller 1765
Paris rue Saint-Gilles 1785
Paris
rue de la Paix

GUY Paris Petit Carrousel

Gaugain rue de Grenelle 1815

Bourg-la-Reine Grellet

G R et Cie

Ile Saint-Denis 1778 Groffe

Grosse 1780 Grosse l'isle St De 1780

Groffe 1779

Paris rue Thiroux

G.h Rue Thirou à Paris

G. h.

Housel houzel

Vierzon 1815

H & PL V

H.J.L° V

1878 Médaille d'or Hache Julien & Cie Vierzon Paris Paris

G Bayeux

Valogne et Bayeux 1793

GOSSÉ BAYEUX

GOSSE Rue J. J. Rousseau à Paris

Gaillard Passage de l'Opéra

Gailliard passage de l'opéra

Paris rue de l'Arbre-Sec

Gambier

rue Poissonnière

Limoges

GR et Cie

Paris Petit Carrousel

GUY

Jacquemin 1856 Paris

rue Poissonnière

LC

Paris rue de Grenelle

Gaugain

Gross 1779 Groffe Grosse l'isle S De 1780

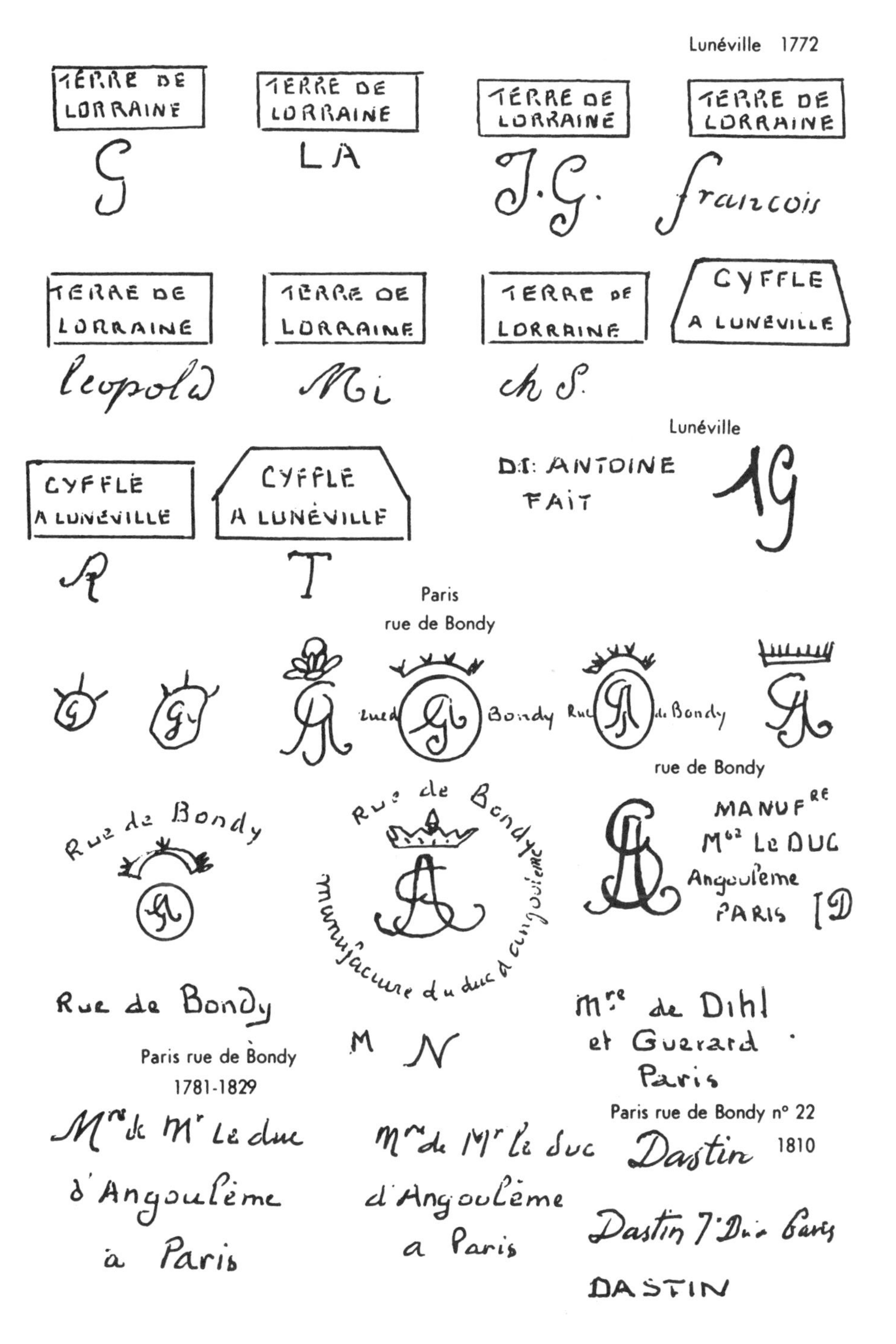

Lunéville 1772
TERRE DE LORRAINE
G
TERRE DE LORRAINE
LA
TERRE DE LORRAINE
J.G.
TERRE DE LORRAINE
francois
TERRE DE LORRAINE
leopold
TERRE DE LORRAINE
Mi
TERRE DE LORRAINE
ch S.
CYFFLE A LUNEVILLE
Lunéville
CYFFLE A LUNEVILLE
R
CYFFLE A LUNEVILLE
T
DI: ANTOINE FAIT
Paris
rue de Bondy
rue de Bondy
Rue de Bondy
Rue de Bondy
rue de Bondy
Rue de Bondy
Manufacture du duc d'Angoulême
MANUF^RE
Mgr Le DUC
Angoulême
PARIS
Rue de Bondy
Paris rue de Bondy
1781-1829
M N
Mre de Dihl
et Guerard
Paris
Paris rue de Bondy n° 22
1810
M^re de M^r Le duc
d'Angoulême
à Paris
M^re de M^r le duc
d'Angoulême
a Paris
Dastin
DASTIN

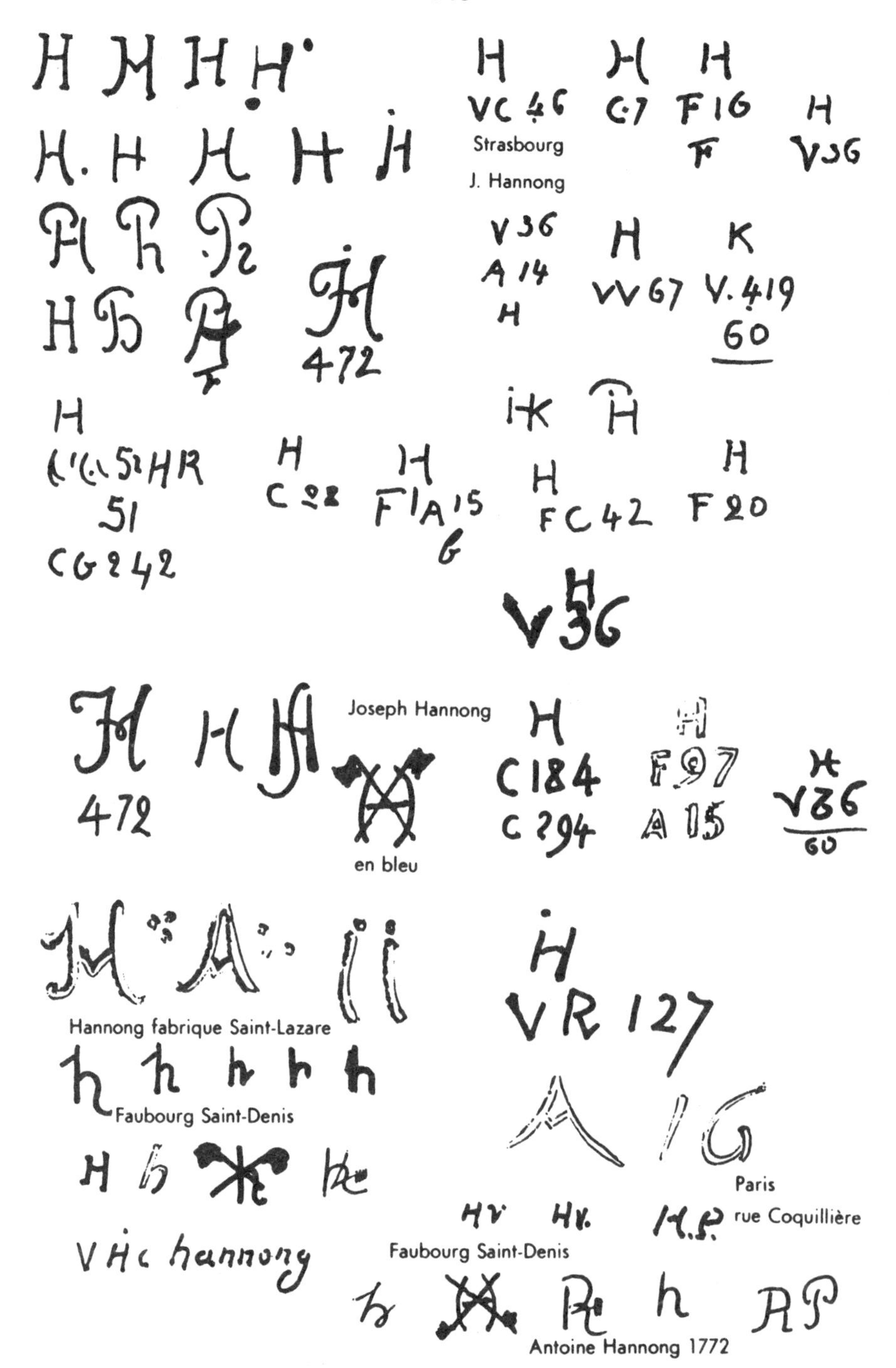

Strasbourg
J. Hannong
Joseph Hannong
en bleu
Hannong fabrique Saint-Lazare
Faubourg Saint-Denis
Paris
rue Coquillière
Faubourg Saint-Denis
Antoine Hannong 1772

halley halley Paris rue Montmartre

en rouge en or

rue Fontaine-au-Roy

Vierzon Cher 1815

HJ & Cie V

Chantilly 1725

H C

en creux

Paris rue Saint-Gilles

H & C

en rouge

H & C L Limoges

HP. H.P. Paris rue Coquillière

H.L H.L Vincennes

Petit Carrousel

Sèvres-Vignol

Saint-Cloud

H

Chantilly

MAISON HOUSSET PARIS 50 FAUB. St HONORÉ

Cité du Trone 1863

Saint-Cloud 1677
IB
C
Orléans 1753
IH
Ich
Strasbourg
Charles Hannong
1725
IN
D
Chantilly 1725
Saint-Cloud
Chantilly
Saint-Cloud
Paris rue des Boulets
J.MANSARD
PARIS
J L
PARADIS
rue Paradis
rue Popincourt
Fontainebleau 1745
J.P.
Jp
Jacob Petit
J
P
Jacob Petit 1830
Julienne
rue Thiroux
JULIENNE
JP
L
Limoges 1738
Jullienne
rue du Bac
J Lecablé
rue Popincourt
Jeanne
Paris rue Saint-Louis
Lille
Marseille Robert 1777

L.M & Cie
p
Lebœuf et Millet
Creil 1830
Lille 1780
ENGLISH
PORCELAIN
L M & Cie
Lille 1711-1730
Lille
Lille
Le Brun
Saint-Cloud
Lille
a lille
LO
Lebrun a Lille
Paris
Pont-aux-Choux
Valenciennes
Paris protection
de Louis Philippe
Pont-aux-Choux
L P
Valenciennes
voir page 218
SA
Pont-aux-Choux
LV
Paris
rue Fontaine-au-Roy
LOCRET
L et R
FECIT ANNO
1774
La Seynie-Hte-Vienne
1775-1855
LS
LS
L.S.

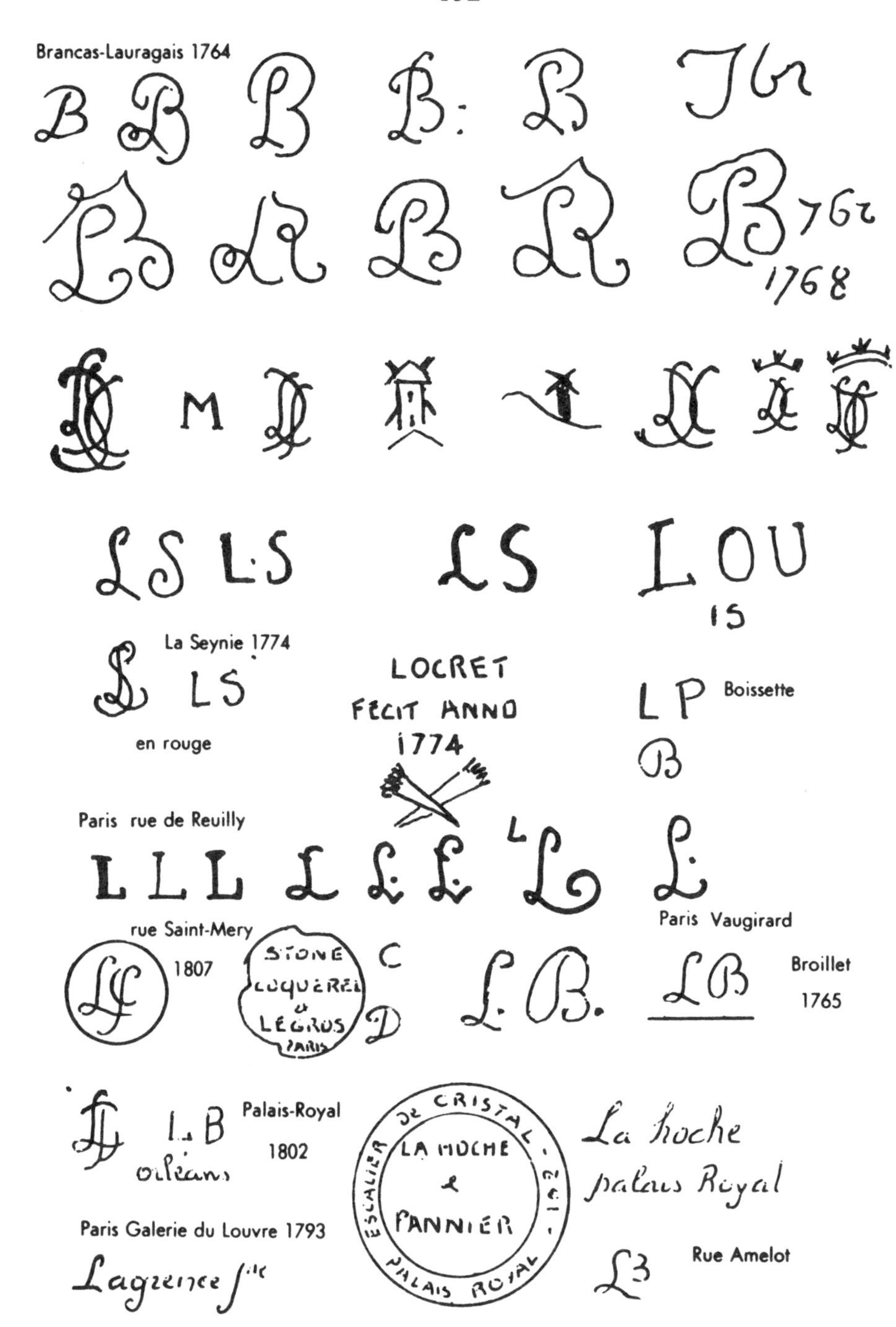
Brancas-Lauragais 1764
1762
1768
M
LS LS
LS
LOU
15
La Seynie 1774
LS
en rouge
LOCRET
FECIT ANNO
1774
LP
Boissette
Paris rue de Reuilly
L
Paris Vaugirard
rue Saint-Mery
1807
STONE
COQUEREL
LEGROS
PARIS
C
D
LB
Broillet
1765
L B
Palais-Royal
1802
orléans
DE CRISTAL
ESCALIER
LA MOCHE
PANNIER
PALAIS ROYAL
La hoche
palais Royal
Paris Galerie du Louvre 1793
Lagrenée jne
Rue Amelot

LD
DARTE
Palais Royal
n° 21

LD
rue de Charonne
1795

(L-D)

Chantilly
Ledru L

Paris rue de la Harpe
Lrible

LE GERRIEZ
20 R. DE LA HARPE
paris

lebon-halley
Paris rue Montmartre
en or

LEMIRE PERE
LEMIRE PERE
NIDERVILLER
en creux
Niderviller
1765

Leroy
11 Rue de Lapeaux
Paris rue de la Paix
1820

LEVEILLE
12
rue Thiroux

Paris rue de Thiroux
Leveille
12
rue de Thiroux
DT

Limoges

Limoges

Lefrancois
à
Caen
Caen
1797

Leroux rue Taranne
Paris rue Taranne
1763

rue Amelot   Lefebvre 1807

Lefebre a paris

Lefevre rue amelot
a paris

Leplé. Je   19 rue du Bac

rue du bacq no 19 a Paris

rue Saint-Gilles
1785

Leplé 1e   Leplé

Jullienne   50 rue du Bac

Paris rue Fontaine-au-Roy
1771

Le Riche

Duc d'Angoulême

22 rue de Bondy 1781

DIHL   Dihl.   Dihl

rue de Bondy

MANUFRE
Mgr Le DUC
Angouleme
Paris   ID

MANUFRE
de Mgr le duc
dangouleme
a Paris

Mre de Dihl
et Guerard
Paris.

Mre Dihl et Guerhard

Mf de
Guerard
et Dihl
a Paris

Mre de Mr le Duc
d'Angoulême
a Paris

rue de Bondy
manufacture du duc dangouleme

rue de l'Arbre-Sec 37

Gambier
en or

rue de l'Arbre-Sec 49

Bernon

22 rue de Bondy

Dastin   DASTIN

Pont-aux-Choux 1784

Mennecy

Paris rue de Bondy

Etiolles
Monie et Pellevé
1768

Paris rue de Clignancourt

CLIGNANCOURT

Etiolles
Pellevé
1770

Moitte

rue Fontaine-au-Roy

rue des Grésillons

Plombières (Vosges)

Orléans
Molier-Bardin 1793

M B
a
orlean

Porcelaine
a
Plombieres
Vosges

M
a
Plombieres

Faubourg Saint-Antoine

Morelle 1739

M.A.P.

MAP

MAP

MAP.

rue des Grésillons

MA M.A

Paris rue de Bondy
1780

Mlle Dihl et Guerhard

Chantilly

MA
CHANTILLY

en creux

MANUFRE
de Mgr le Duc
d'angouleme
a Paris

Mture de MADAME
Duchesse d'Angoulême
Daguly E. Honoré
PARIS

Paris rue de Bondy

Mre de Mr le Duc
d'Angoulême
a Paris

Mre
de S M
l IMPERATRICE
de Pl dagoty FS
Poissonnierre
no 2
a Paris

Mre de Dihl
et Guerard
Paris.

MANUFACTURE
MESLIER AINE
Rue de l Arbre sec
— no 37 —
depot Palais Royal et Gidiniere

Paris
Petit Carrousel

MANUFACTURE
Petit Carousel
Paris

Paris
rue Fontaine-au-Roy

Manufre de pouyat
A. rue fbg du temple

Limoges
1771

Manufacture
Royalle de Limoges

Paris
rue Fontaine-au-Roy

manufacture
A. Deltuf

manufacture
du fb... St Denis
no 25
CP

Manufre de Porcelaine
du Cen Nast

rue Popincourt

Rue des Amandiers
Don Popincourt

MANUFRE DE PORCELAINE
du Cen NAST A PARIS

Paris
rue Thiroux

Mesliez

Paris rue de l'Arbre-Sec

Faubourg Saint-Antoine

en rouge

M   Mouchard Angouleme fb. St Martin

L

Angoulême
1819

Le 23 aout 1819

Monginot

Boulevard des Italiens

boulevard des italiens
no 20 a paris

Monginot
20 Boulevart
des Italiens

monié F1779

Paris rue Saint-Honoré

Manteau
au
Vase antique

MEHUN
CP & Co

PORCELAINES
A FEU
CP & Cie
MEHUN

Manufacture de SAS Mgr le Duc d'Orléans
A BOISSET

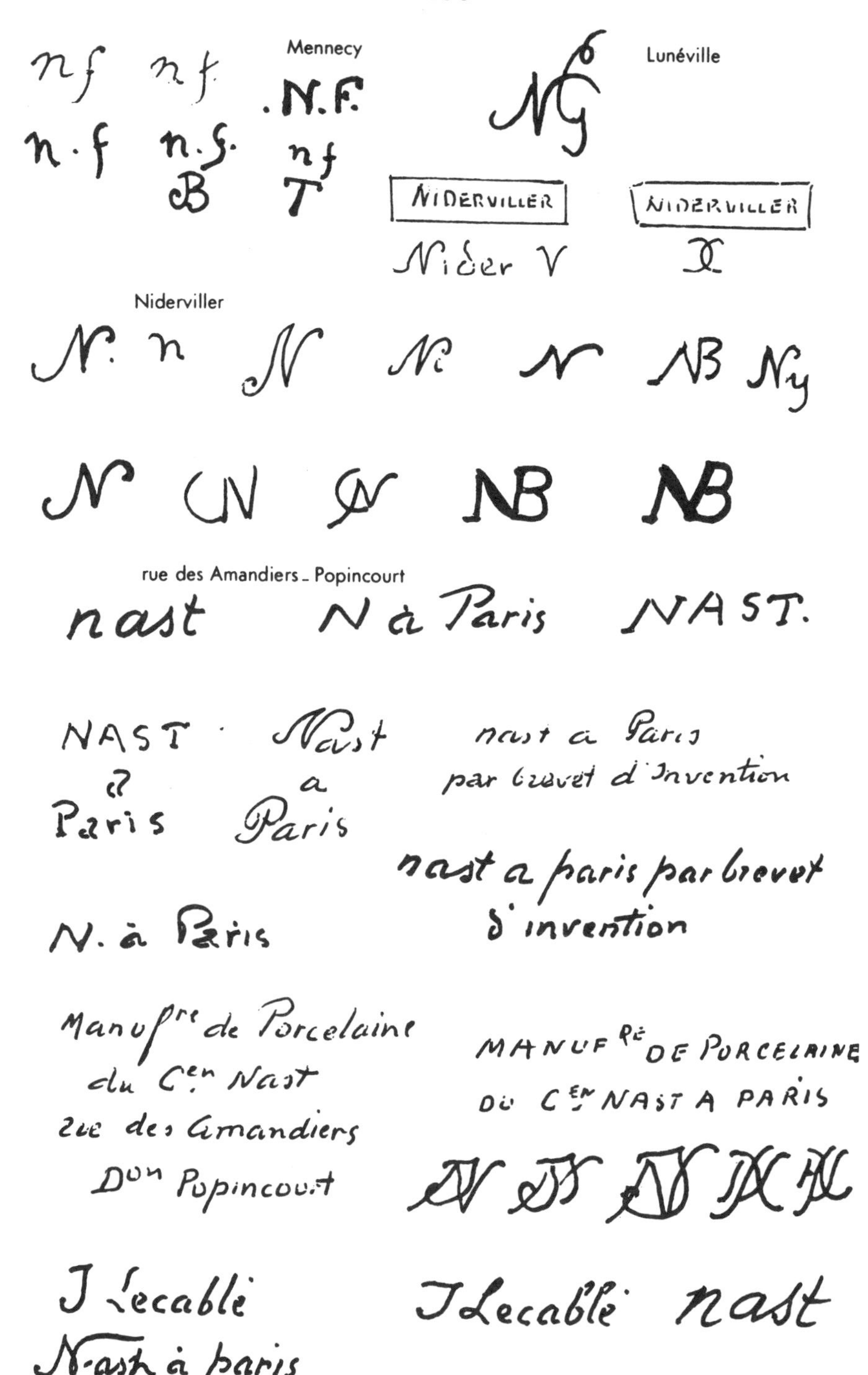
Mennecy
Lunéville
NIDERVILLER
NIDERVILLER
Niderviller
rue des Amandiers_ Popincourt
nast
N à Paris
NAST.
NAST a Paris
Nast a Paris
nast a Paris par brevet d'Invention
nast a paris par brevet d'invention
N. à Paris
Manufre de Porcelaine du Cen Nast rue des Amandiers Don Popincourt
MANUF RE DE PORCELAINE DU CEN NAST A PARIS
J Lecablé
N-ast à paris
J Lecablé
nast

POCHET D
PARIS
Pochet Deruche
PARIS
16
rue JJ. ROUSSEAU
Pt
Carousel
Paris

rue de Crussol
Potter
4
rue Coquillière
Pochet D
PARIS

porcelaine
royalle de Limoges
CD
rue Fontaine-au-Roy
Pouyat
&
Russinger
PR
PY

Marseille
Robert-Gaspard
1776
rue de Crussol
Paris
Chantilly
Marseille
Robert-Gaspard
Paris rue de Fontaine au Roy
Paris Faubourg Saint-Denis
rue de Crussol
Paris rue des Capucines
REVIL
Rue Neuve des Capucines
Paris Rue Caumartin
Renou
rue de la Paix en rouge
RIHOUET
rue de la Paix
Rihouet
Boulevard Saint-Martin
Rousseau
43
rue Coquillere
rue de Bondy
Rue de Bondy
rue Fontaine-au-Roy
RUSSINGER et LOCRE
rue neuve St Denis
sèvres
RF
RF
Sevres
Arras
ROZ
Rue Caumartin
Renou

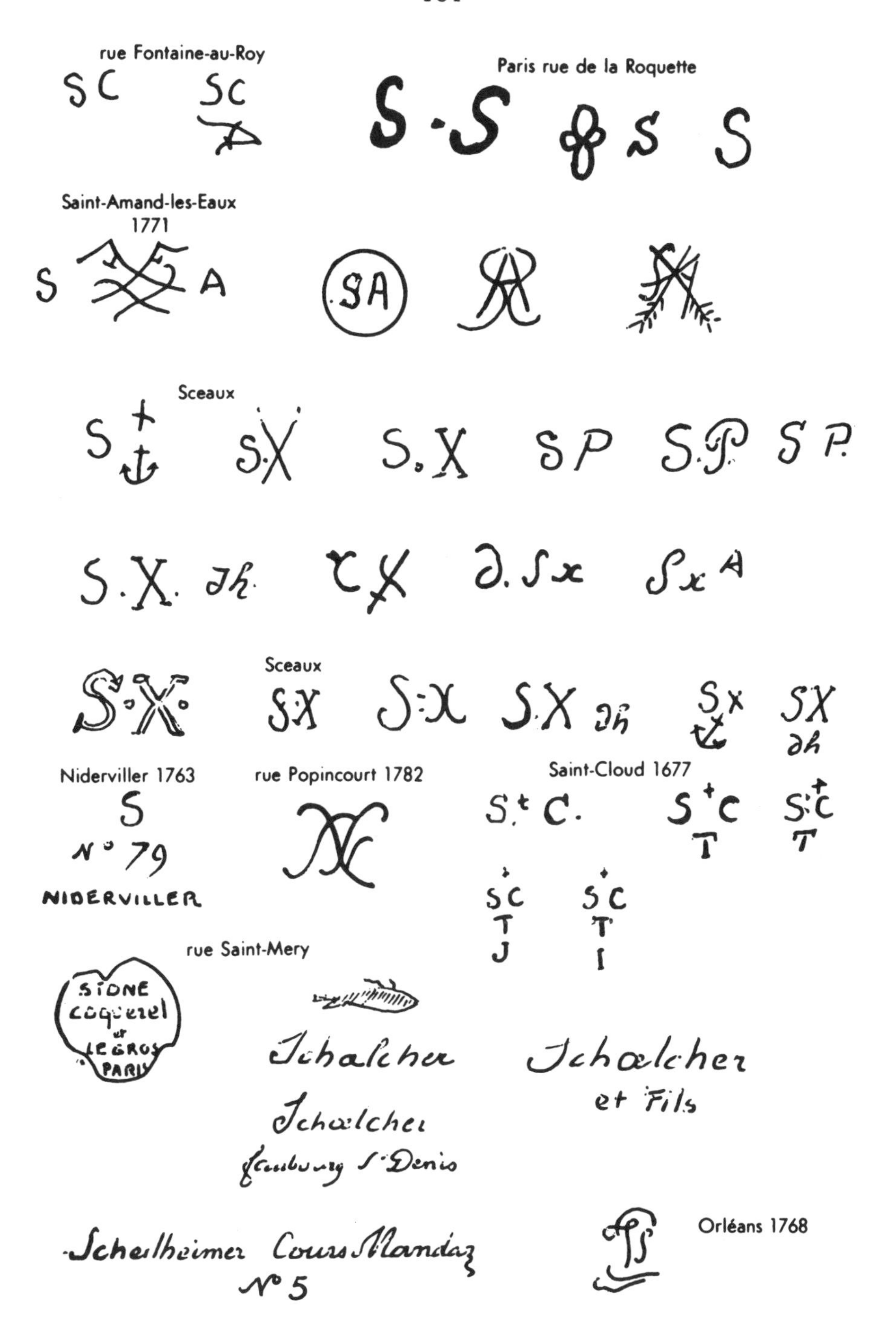
rue Fontaine-au-Roy
SC SC
Paris rue de la Roquette
Saint-Amand-les-Eaux
1771
S A
SA
Sceaux
S.X
SP
S.X.
Sceaux
Niderviller 1763
S
N° 79
NIDERVILLER
rue Popincourt 1782
Saint-Cloud 1677
S.t C.
S C
T
J
I
rue Saint-Mery
SIONE
coquerel
et
LEGROS
PARIS
Schalcher
Schœlcher
et Fils
Schœlcher
faubourg S.t Denis
Schœlheimer Cours Mandar
N° 5
Orléans 1768

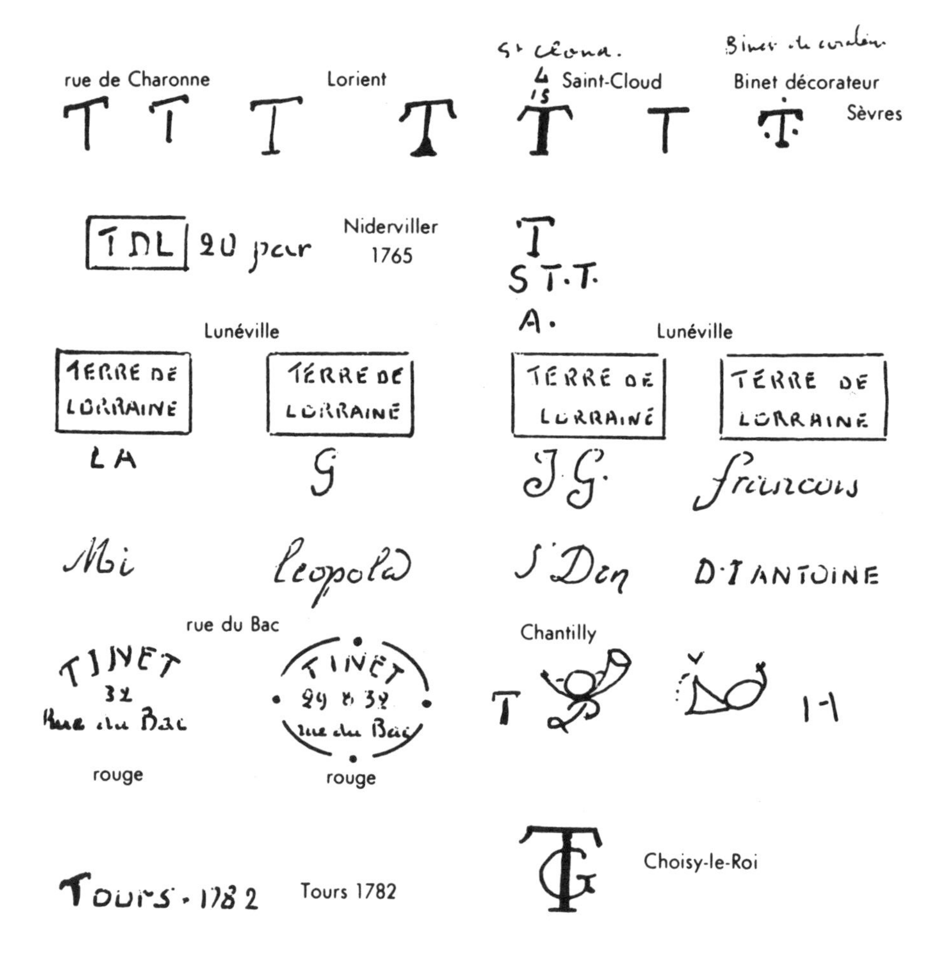

rue de Charonne
Lorient
Saint-Cloud
Binet décorateur
Sèvres
Niderviller
1765
Lunéville
TERRE DE LORRAINE
Lunéville
rue du Bac
rouge
rouge
Chantilly
Tours · 1782
Tours 1782
Choisy-le-Roi

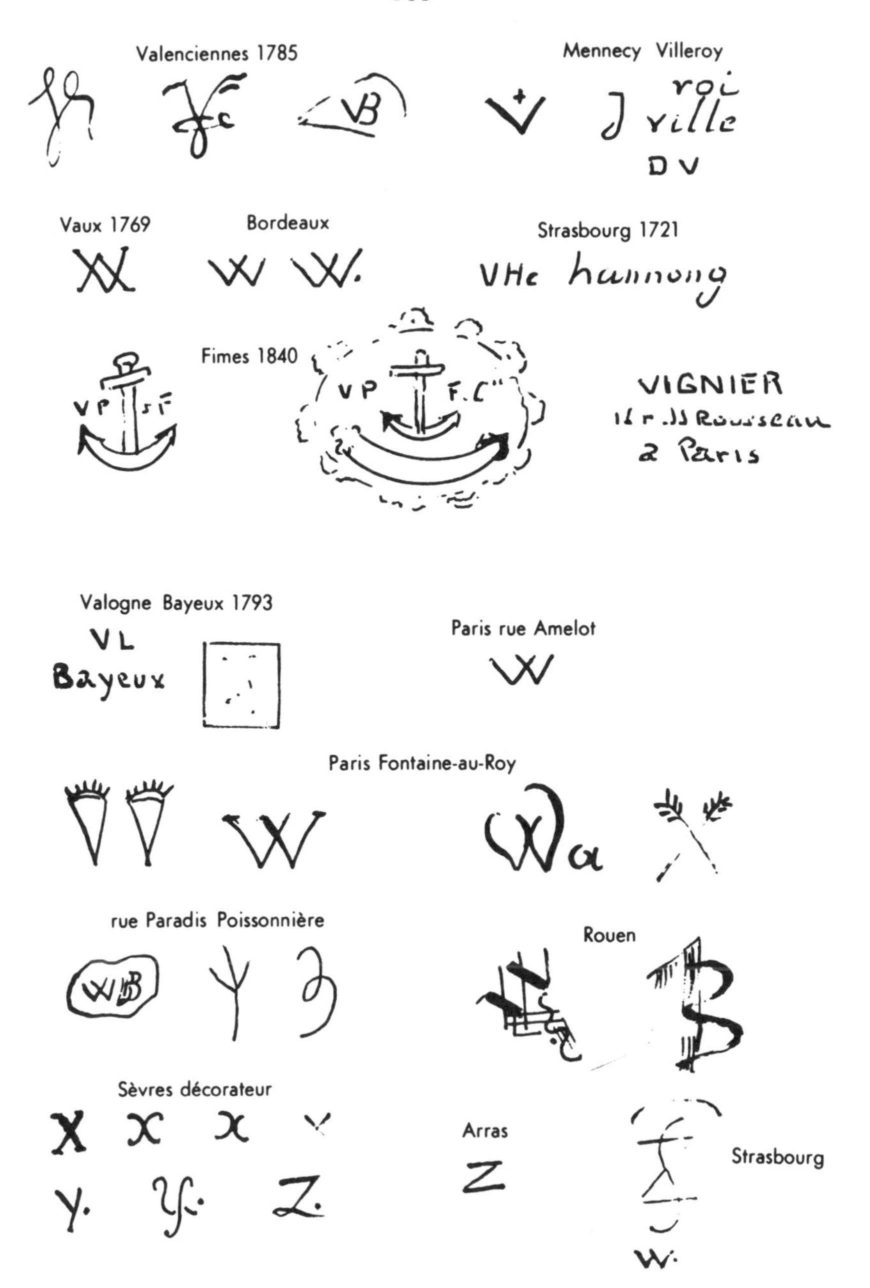
Valenciennes 1785
Mennecy Villeroy
roi
ville
DV
Vaux 1769
Bordeaux
Strasbourg 1721
VHc hannong
Fimes 1840
VP
F.C
VIGNIER
Paris
Valogne Bayeux 1793
VL
Bayeux
Paris rue Amelot
Paris Fontaine-au-Roy
Wa
rue Paradis Poissonnière
Rouen
Sèvres décorateur
Arras
Strasbourg

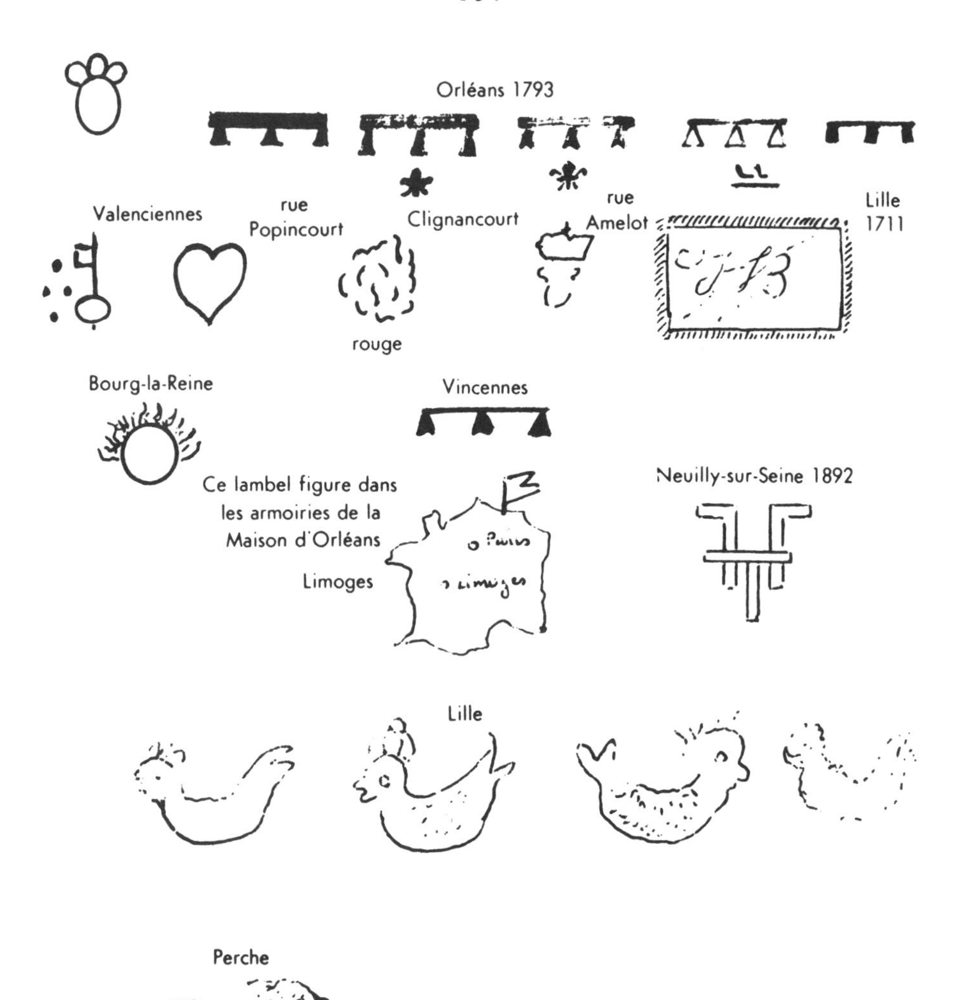
Orléans 1793
Valenciennes
rue
Popincourt
Clignancourt
rue
Amelot
Lille
1711
rouge
Bourg-la-Reine
Vincennes
Ce lambel figure dans
les armoiries de la
Maison d'Orléans
Limoges
Neuilly-sur-Seine 1892
Lille
Perche

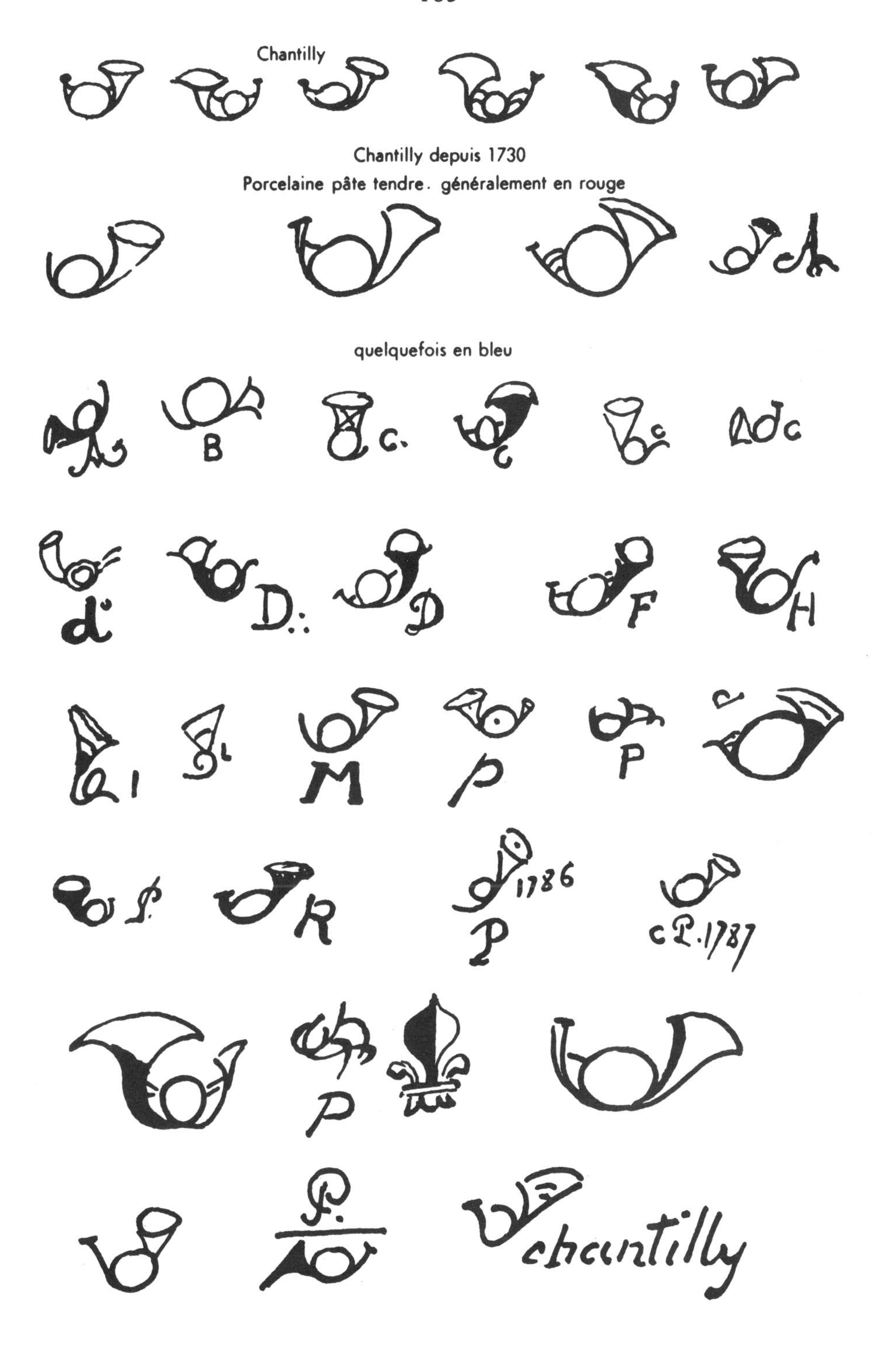
Chantilly
Chantilly depuis 1730
Porcelaine pâte tendre. généralement en rouge
quelquefois en bleu
B
C.
D.
D
F
H
M
P
P
R
1786
P
cP.1787
P
chantilly

Clignancourt

E. BLANCHERON
A PARIS

rue de Crussol

Potter
Paris
86

Potter
42

DENUELLE
Rue de Crussol à Paris

Denuelle
Bd St Denis
à Paris

MANce de Porcelaine
DE SAR

Paris rue Fontaine-au-Roy

Saint-Cloud

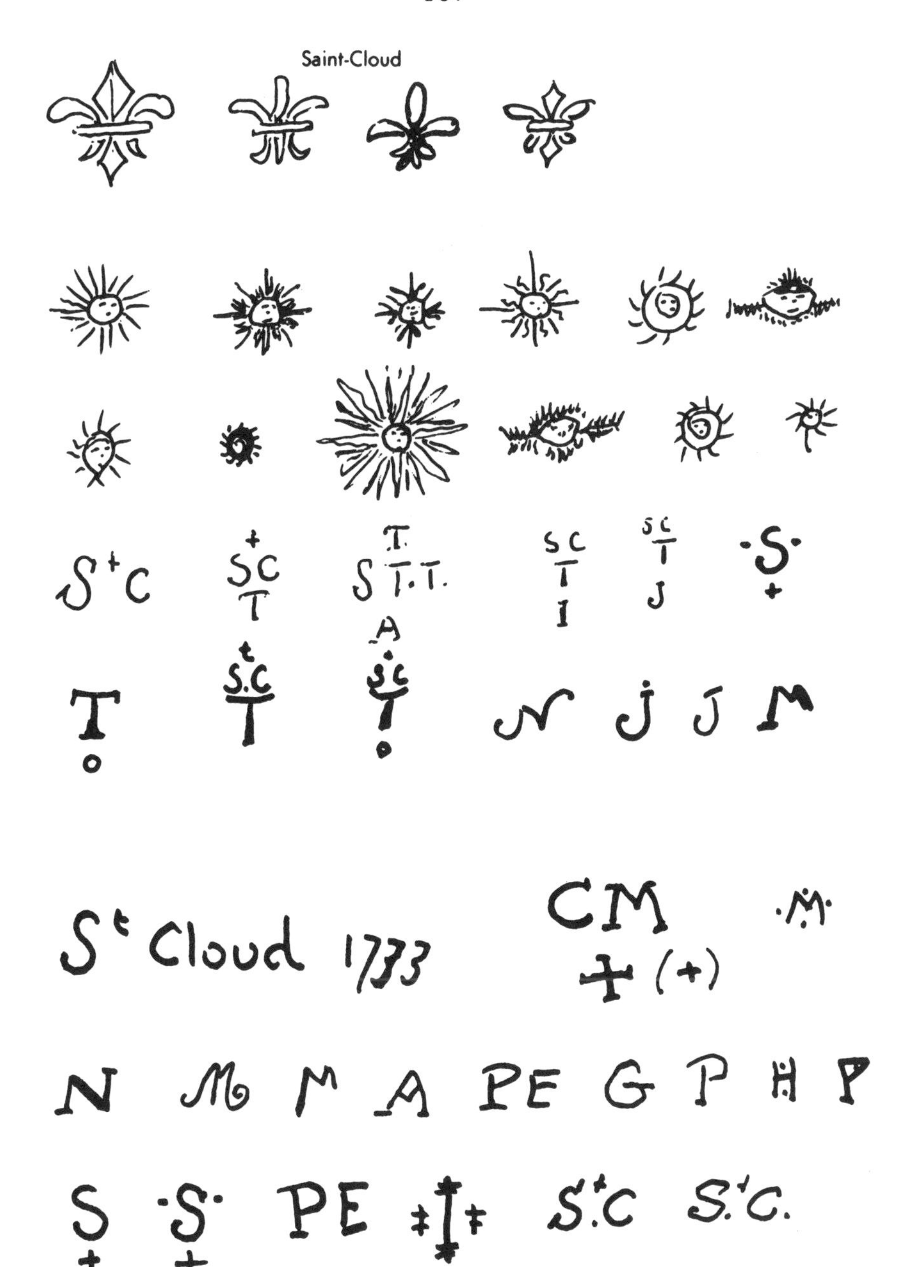

Chantilly

Menagerie villers Cotterets

Chantilly — Signature des Mouleurs en creux

adrot Calin Bernard duchêne

Bonfoy conor Lucas gabilot

Nouvelle Manufacture de Chantilly depuis 1945

Niderviller – Epoque Custine

CN

Sceaux 1772

SCEAUX

SCEAUX

182 rue de Montmartre

lebon-halley

halley

halley

Paris

M

Lebon halley
à Paris.

rue N.-D. des Champs
Dagoty 1810

Dagoty freres

Dagoty freres

rue Neuve Saint-Denis

rue
Neuve St
Denis

passage de l'Opéra

Gailliard
passage de
l'opera. marqué en or

rue Neuve des Capucines

REVIL
Rue Neuve
des
Capucines

REVIL Rue
Neuve des
Capucines

rue Pont-aux-Choux | Mignon 1777

rue de la Paix
L. Rihouet 1820

Rihouet

RIHOUET
F DEUT
du ROI
Rue de la paix

Lerosey
11 Rue de la paix

20 rue de la Paix

Feuillet

Feuillet
rue de la Paix
no 20

Bnn

Boyer Sr de Feuillet

Boyer Sr de Feuillet

Feuillet

F F

2, rue des Récollets

DESPREZ
rue des Recollets
à Paris

DESPREZ
Rue des Recollets
no 2 à Paris

DESPREZ

rue de la Pierre Levée 1805

Paris rue de la Roquette

Bourg-la-Reine

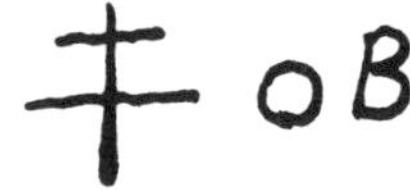

Bourg-la-Reine - Voisin Delacroix
1789

Bourg-la-Reine
Chapelet

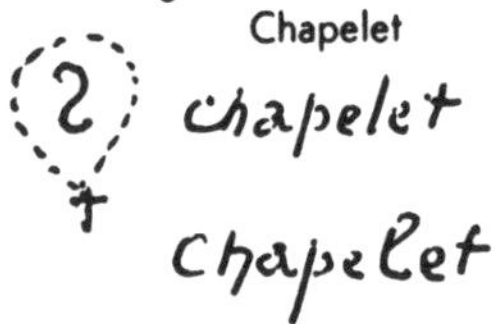

Boulevard Montmartre 5
Person 1806

PARIS

Boulevard Montmartre 16
Couderc 1840

Montreuil-sous-Bois

Tinet
1815

TINET.
32
Rue du Bac

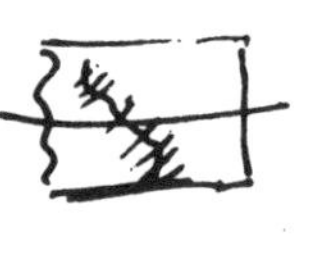

Sailly Châtre-sur-Cher

Larchevêque

Michaud Nexon

Lourioux Foëcy

Société Française
de Porcelaine Foëcy

Deshoulières et Fils
Chauvigny (Vienne)

Deshoulières et Fils

Deshoulières et Fils

Robin Saint Genou

Deshoulières et Fils

Frelon Frères
Villedieu (Indre)

Couleuvre

Arthème Chapu
Villedieu

Porcelaine d'art
de Couleuvre (Allier)

Arthème Chapu
Villedieu

Manufacture de Porcelaine
de Bayeux

Revol
Saint-Uze

Céramique et grès à feu
du Dauphiné
Saint-Uze

Revol
Saint-Uze

Frachon
Saint-Vallier (Drôme)

Ets A. Mouton
Saint-Vallier

Montagne
Saint-Vallier-sur-Rhône

Etablissements Précieux
Grigny (Rhône)

Montagne

Catherinot et Revallier
Villedieu

Thomas-Limosa
Sainte-Foy L'Argentière

Frelon
Villedieu

Martin, Bardin et Cie
Palluau-sur-Indre

Charlionais
Toulouse

Avignon
Bruère-Allichamps

INDEX DES MANUFACTURES

TABLE DES MATIÈRES

Imp. LAZARE-FERRY - 93230 Romainville